新訳　ヴェニスの商人

シェイクスピア
河合祥一郎＝訳

角川文庫
13979

The Merchant of Venice
by
William Shakespeare

From
The Merchant of Venice
Published in the U.K. 1600

Translated by Dr. Shoichiro Kawai
Published in Japan by
Kadokawa Shoten Publishing Co., Ltd.

目次

凡例

・一六〇〇年出版の初版本、即ち第一・四折本《クオート》（STC 22296）を原典とした。

・原典に幕場割りがないので、幕場割りをつけなかった。ただし、従来の慣習に基づく幕場表示は、注に記し、読者の便宜を図るため、奇数頁の柱（上部欄外）に記した。

・表記や解釈に問題のある箇所については、以下の諸版を参照した。

オックスフォード版　Jay L. Halio, ed., *The Merchant of Venice*, The Oxford World's Classics, The Oxford Shakespeare (Oxford: Oxford University Press, 1993).

新ケンブリッジ版　M. M. Mahood, ed., *The Merchant of Venice*, The New Cambridge Shakespeare (Cambridge: Cambridge University Press, 1987).

旧ケンブリッジ版　Sir Arthur Quiller-Couch and John Dover Wilson, ed., *The Merchant of Venice*, The New Shakespeare (Cambridge: Cambridge University Press, 1926).

ペンギン版　M. Moelwyn Merchant, ed., *The Merchant of Venice*, The New Penguin Shakespeare (Harmondsworth: Penguin Books, 1967).

アーデン版　John Russell Brown, ed., *The Merchant of Venice*, The Arden Shakespeare (London: Methuen, 1964).

・〔　〕で示した箇所は原典にはない。

新訳　ヴェニスの商人の最も優れた物語

登場人物

アントーニオ　ヴェニスの商人
バサーニオ　その友人、ポーシャへの求婚者
グラシアーノ　アントーニオらの友人
サレーリオ　アントーニオらの友人
ソラーニオ　アントーニオらの友人
ロレンゾー　ジェシカの恋人
リオナード　バサーニオの召使

シャイロック　ユダヤ人
テューバル　その友人のユダヤ人
ジェシカ　シャイロックの娘
ランスロット・ゴボー　道化、シャイロックの召使
老ゴボー　その父

ポーシャ　ベルモントの女相続人
ネリッサ　その侍女
モロッコ大公　ポーシャへの求婚者
アラゴン大公　ポーシャへの求婚者
バルサザー　ポーシャの召使
ステファノー　ポーシャの召使

ヴェニスの公爵
ヴェニスの貴族、法廷の役人、牢番、召使、従者

場面　ヴェニス（イタリア）

アントーニオ、サレーリオ、ソラーニオ登場。※1

アントーニオ　どうしてこんなに憂鬱《ゆううつ》なんだろう。
嫌《や》だなあ。君たちも嫌《いや》だろうけれど、こんな気分、
どこからもらってきたのか、どこで罹《かか》ったのか、出遭ったのか
なにが原因で、どこから生まれたのか、
見当もつかん。※2
あんまり憂鬱だから、頭がぼうっとして、
自分という人間がなんだかわからなくなってきた。

サレーリオ　あなたの心は海の波間に揺れているんだ。
なにしろ、積荷満杯のあなたの堂々たる船の一団は、
喩《たと》えてみれば、海の国の殿様か大富豪、
はたまた海上の大行列かといった押し出しで、
威風堂々、通りがかりの小舟を睥睨《へいげい》し、
向こうが腰をかがめて最敬礼するなかを
布の翼を広げて飛んでいくんだからね。

ソラーニオ　正直、ぼくだってそれほどの財産を海に賭《か》けていたら、

※1　原典とした初版本には作品全体に幕場割りが一切ない。二折本には、幕が記されているのみ。場面割りは十八世紀の編者が導入した。
Salerio は、「サリーリオ」、あるいは le の音を二重母音で発音して「サレアリオー」（サリアリオー）と表記することもある。
Solanio は、「サラーニオー」、「サレーニオ」、「ソレイニオ」と表記することもある。
なお、原典には Salarino（サラリーノ）という綴《つづ》りもあるため、計三人いるという説もある。

※2　「見当もつかん」(I am to learn) は弱強五歩格の二拍分。直後に三拍分の間が入る。

海のことが気になって、
わくわくはらはら気もそぞろだ。
いつも草をむしっては、風向きを調べ、
地図を睨《にら》んで、港や波止場や道を探し、
難破でもするんじゃないかという
不安の種があるたびに、間違いなく
憂鬱になっちまう。
サレーリオ　ふうふうとスープを冷ますときだって、
あんまり強く吹くと、風は海でどんな悪さをするかと心配で、
自分が起こした風に吹かれて瘧《おこり》にかかってしまう。
砂時計の砂がさらさら流れるだけで、
砂洲《さす》や浅瀬を思い出す。わが財宝を積んだ
アンドルー号※が、砂に乗り上げ、
高いマストを横ざまに倒して墓穴《ぼけつ》にキスをするさまが
目に浮かんでしまう。教会に行って、
石造りの堂々たるありがたい建物を見れば、
すぐ思い出すのは、危険な岩場。
そいつが、優しい船の横っ腹《ぱら》をまさぐったら、
積荷の香料はみんな海原《うなばら》に撒《ま》き散らされ、

※一五九六年、エセックス伯率いるイギリス軍がスペインの港町カディスで捕らえたスペイン大型帆船聖アンドレ号のことか。

荒れ狂う波が絹をまとってさんざめく。
要するに、さっきまでこんなにも価値あるものだったのが、
あっという間に海の藻屑《もくず》さ。それぐらいは
ぼくにだってわかる。だから、そんなことになったら
憂鬱になることだってわかる。
いや、言わなくてもいい。アントーニオは
積荷のことを思って憂鬱なんだ。

アントーニオ　そいつは違う。ありがたいことに、
投資のすべてが一艘《そう》の船にかかっているわけじゃないし、
一つの取引先だけを当てにしているわけでもない。それに
全財産が今年の運次第というわけでもない。
だから、積荷のせいでふさいでいるんじゃない。

ソラーニオ　じゃあ、恋をしているんだ。

アントーニオ　おい、おい！

ソラーニオ　恋でもない、となりゃ、憂鬱なのは、
陽気じゃないからだとでも言うか。それなら笑って飛び跳ねて、
憂鬱じゃないから陽気ですと言ったってよさそうなもんだ。
いやまったく、二つの顔を持つヤヌス※の神様じゃないが、
自然はへんてこな人間をこさえたもんだ。

※ Janus　前と後ろに顔がついたローマの出入り口の神。笑顔と渋面になっているので、喜劇の仮面と悲劇の仮面を連想させる。一月の神でもある。

バグパイプの音を聞いただけで鸚鵡《おうむ》のようにげらげら笑い出し、
年がら年じゅう、目を細めっぱなしのやつもいりゃあ、
絶対に笑えるジョーク※を聞いても
渋い顔をして、にこりともせず、
白い歯など見せるもんかという手合いもいるからな。

バサーニオ、ロレンゾー、グラシアーノ登場。

ソラーニオ　ほら、あなたの親戚《しんせき》のバサーニオさんがやってきた。
グラシアーノとロレンゾーも。さよなら、
もっとよいお仲間にあなたを引き渡すことにしよう。

サレーリオ　あなたを陽気にするまで一緒にいたかったけれど、
もっと立派なお友達が来たから引き下がりますよ。

アントーニオ　君たちだって立派だ。
自分の用事があるので、この機を捉えて
帰ろうっていうんだろう。

サレーリオ　〔バサーニオらに〕皆さん、おはようございます。

バサーニオ　これはご両人、今度いつ騒ごうか、え、いつ？
随分よそよそしいね、もう帰るの？

サレーリオ　また、ご都合のよろしいときに。

※ 原文は、「その冗談は笑えるとネストルが誓っても」。ネストル（ネスター）は、トロイ戦争時のギリシア軍の賢明謹厳なる最長老。

サレーリオ、ソラーニオ退場。

ロレンゾー　バサーニオ様、※1こうしてアントーニオさんに
お逢《あ》いになれた以上、我々二人もお暇《いとま》しますが、※2どうか
昼食時には待ち合わせの場所をお忘れにならないように。

バサーニオ　大丈夫。

グラシアーノ　具合が悪そうだね、アントーニオさん、
世の中のことをあんまり気にかけすぎなんだよ。
いつも気配り心配ばかりじゃ、世の中ちっとも楽しめない――
ほんと、かなり様子が変だよ、あんた。

アントーニオ　世の中は世の中にすぎんよ、グラシアーノ、
誰もが自分の役を演じる舞台だ。
そして私の役は憂鬱な役なんだ。

グラシアーノ　俺は道化役がいい。
陽気に笑って、しわくちゃ爺《じい》さんになりたいね。
死にそうな呻《うめ》き声出して心臓を冷やすよりも
酒で肝臓をきゅっと熱くしたいね。
体に熱い血が流れている人間が、どうして
石膏《せっこう》細工の爺さんみたいにじっとしてなきゃならんのだ？
起きているのにうつらうつらして、ひがんでばかりいるせいで

※1 My Lord Bassanio という丁重な表現から、対等な友人関係でなく、ロレンゾーのへりくだった態度が窺《うかが》える。

※2 ロレンゾーはグラシアーノに対して「バサーニオとアントーニオを二人きりにしてあげよう」と暗に言っているのに、グラシアーノはそれに気づかず話し続ける。

黄疸《おうだん》になるなんて真っ平だ。いいかい、アントーニオさん、
あんたが好きだから、こんなことを言うんだよ、
世の中には、淀《よど》んだ池みたいに
憮然《ぶぜん》とした仏頂面さげて、わざと黙りこくり、
賢い、威厳がある、考え深い、なんて評判を立てられたくて、
「我輩は偉い預言者でござる、
我輩が口を開くときは、犬は黙っておれ」
と言わんばかりのやつがいる。
なあ、アントーニオさん、俺はそういう
なにも言わないがゆえに賢いと評判の
連中を知っている。そんなのが口をきいたら大変だ、
聞いたほうは思わず、地獄堕《お》ちになるのもかまわず※、
相手が兄弟であっても「馬鹿!」と叫ぶだろう。
この話は、またいずれしよう。
とにかく、この憂鬱という餌で
世評という愚かなだぼ鯊《はぜ》を釣るのはやめときな。
おい、ロレンゾー、行くぞ。じゃあ、さよなら、
説教の続きは、また昼飯のあとで。

ロレンゾー　では、昼食時まで失礼します。

※　新約聖書「マタイ伝」五・二二に、兄弟に馬鹿と言う者は地獄の火に焼かれるとあるのに基づく。

私も今の話の、黙りこくった賢者というところですね、
グラシアーノが口をきかせてくれないから。
グラシアーノ　まあ、あと二年、俺に付き合ってみな、
その舌から音が出るのを忘れるだろうよ。
アントーニオ　さよなら、私もせいぜいおしゃべりになるとするよ。
グラシアーノ　ありがとさん。黙っていてくれてありがたいのは、
牛タンの燻製《くんせい》と、売れ残りの女だけさ。

〔グラシアーノとロレンゾー〕退場。

アントーニオ　あいつがいない沈黙もありがたいね。※1
バサーニオ　グラシアーノは、ヴェニスじゅうの誰よりも、意味のないことをいつまでも話し続けるんだ。※2 あれの理屈は、籾殻《もみがら》二《ふた》袋のなかの小麦二《ふた》粒のようなもんさ。見つけるまでは一日がかりだが、見つけてみたら探すほどのことはなかったというわけさ。
アントーニオ　さて、教えてくれないか、
君が密《ひそ》かに恋の巡礼となって訪ねようという貴婦人のことを——。
今日、話してくれる約束だったろう?
バサーニオ　君も知らないわけじゃない、アントーニオ、
ぼくは、たいした財産もないのに
無理に派手な生活を続けて

※1　It is that anything now.　これまでの編者は、文頭のItを無視したり、Yetと読み替えたりして、「あれでも何か意味のあることを言ったつもりか」と解釈したが、そうすると、グラシアーノの忠告を受け入れて「今の話を受けておしゃべりになる」と答えたアントーニオの誠意が疑われる。
新ケンブリッジ版の解釈に従い、that anythingをグラシアーノが云々した「沈黙」を指すと考え、「ようやく静かになった」の意と解釈する。

※2　『ロミオとジュリエット』のおしゃべりなマキューシオに類似する。

自分の身代をつぶしてしまった。
別に、そうした贅沢三昧《ぜいたくざんまい》をやめて切り詰めて暮らすのに
不満があるわけじゃない。一番気になっているのは、
多額の借金のかたをきれいにつけてしまいたいということだ。
やりたい放題にやったおかげで今も身動きが取れない。
誰よりも君には、アントーニオ、
金の面でも友情の面でも借りがある。
そして君の友情を当てにして、ぼくは、
すべての借りを返済する計画と目的を
打ち明けたいと思うんだ。

アントーニオ　話してくれ、バサーニオ、頼む。
君自身がいつも立派であるように、
その計画が立派なものであるなら、大丈夫、
私の財布も、私自身も、できるかぎりのことをして
すべて君の役に立てよう。

バサーニオ　学校時代、ぼくは一本の矢をなくしたら、
それを捜し出すために、同じように飛ぶ矢をもう一本、
同じ方向に、今度はもっと気をつけて放ち、
二本目も危険にさらすことによって、二本とも

見つけたものだ。こんな子供の頃の経験を話すのは、
これから話すことが実にたわいもない話だからだ。
君には随分借りがあるのに、ぼくは勝手な若者よろしく
借りたものをなくしてしまった。でも、どうか
もう一本の矢を、最初の矢と同じように
放ってくれないか。そしたら、きっと、
飛ぶ先を見守って両方とも見つけてやる。
でなけりゃ、あとから一か八かで放ったほうだけでも取り戻し、
ありがたく最初の負債を負ったままでいることにしよう。

アントーニオ　私のことはよくわかっているくせに、こんなふうに
もってまわって友情に探りを入れるなんて時間の無駄だ。
そもそも、私がすべてを擲《なげう》つかどうか疑うなんて
私の全財産を使い果たすよりもひどい
私への侮辱だ。だから、ただ
私になにをしてほしいのか言ってくれ、
私にできると君が思っていることはなにか。
そしたらすぐにもやってみせよう。だから、言いたまえ。

バサーニオ　ベルモント※に莫大《ばくだい》な遺産を受け継いだ貴婦人がいる。
美しい人――いや、美しいなんてもんじゃない。

※『ヴェニスの商人』の種本「イル・ペコローネ」に出てくる架空の地名。フランス語で「美しい山」を意味する。

驚くほど徳高い人でもある。昔、その目からぼくは
無言の、うっとりするメッセージを受けたんだ。名前は※1
ポーシャ。カトーの娘、ブルートゥスの妻のポーシャと
いささかも見劣りしない。その評判は
広大な世界に遍《あまね》く知れわたり、あちらこちらの岸辺から
東西南北の風に乗って、錚々《そうそう》たる求婚者が
集まってくる。あの人の黄金《こがね》の髪は、
黄金《おうごん》の羊毛のようにこめかみに垂れ、
ベルモントのお屋敷はまるでコルキス※2の浜辺。
大勢の英雄イアーソンたちがあの人を求めにやってくる。
ああ、アントーニオ、そんな連中と肩を並べる術《すべ》が
ぼくにあったなら、ぼくはきっとうまくやって
絶対幸せになれるという
確かな予感があるんだ。

アントーニオ 私の全財産が海にあることは知っているな。
即金を用意できるような現金も品物もない。
だから、試してみたまえ、
私の評判がヴェニスでどれほど役に立つか――
そいつをぎりぎりまで使いこなして

※1 シェイクスピアは、『ジュリアス・シーザー』のなかで、高潔な護民官カトー（英語発音ケイトー）の娘にして、気高いブルートゥス（ブルータス）の妻ポーシャの美徳を強調している。

※2 ギリシア神話によれば、東方の地コルキスにある金の羊毛を手に入れようと、英雄イアーソンは、ヘラクレスらアルゴ船隊員を率いて乗り込み、コルキスの王女メデイア（メディア）の魔法に助けられて、羊毛を手に入れる。なお、エウリピデス作悲劇『メデイア』は、夫イアーソンに裏切られたメデイアの怒りを描く。

ベルモントへ、美しいポーシャのもとへ行く金にするがいい。
さあ、すぐ探すのだ、私も探そう、
金蔓《かねづる》を。そしたら必ず、借り出してやろう
私の信用で。面子《メンツ》にかけて。

全員退場。

ポーシャが侍女ネリッサと登場※1。

ポーシャ　本当に、ネリッサ、この小さな体には、この大きな世界はうんざりだわ。

ネリッサ　お嬢様の不幸せが立派な財産※2ほど豊富にあれば、そんなこともございましょうが、私《わたくし》に言わせれば、食べすぎて気持ち悪くなるのも、おなかが空《す》きすぎて気持ち悪くなるのも一緒。ですから、ほとほと困り果てぬ、ほどほどの並の状態が並ならぬ幸せ。程を超せば白髪《しらが》が増える、程を守れば命が延びると申します。

ポーシャ　いい格言ね。上手に言ったものだわ。

ネリッサ　格言どおりになされば、なおようございましょう。

ポーシャ　言うは易《やす》しよ。なにがよいことか、知っているだけで実行できるんだったら、小さな礼拝堂は大きな教会となり、みすぼらしい貧乏人の家は立派な王宮になるわ。自分の教えに従うこと

※1　一七〇九年のシェイクスピア全集の編者ニコラス・ロウの校訂以降、ここより第一幕第二場とするのが慣例。

※2　前場の最後で言及されたアントーニオの「財産」（fortunes）と同じ言葉が繰り返される。

ができるのは立派な聖人。なにをなすべきかみんなに教えることぐらい、私だってできる。でも自分の教えを実行するのはむずかしいわ。感情を抑えるためにいろんな掟《おきて》をいくら頭で考案しても、熱い情熱は冷たい規則なんか飛び越えてしまう。ぴょんとね、兎みたいに。それが若さという狂気よ。分別という足の不自由な狩人が仕掛けた網の上をぴょんと越える。だけどこんな理屈をこねたって、夫を選ぶ足しにはならない。ああ、なんて言葉、「選ぶ」だなんて！　自分で好きな人を選ぶことも、嫌いな人を拒むこともできないなんて。死んだ父親の遺志に、生きている娘の意思が抑えられるなんて。ひどいと思わない、ネリッサ、選んでもだめ、拒んでもだめだなんて？

ネリッサ　お父上は、それは徳高いお方でした。立派な方は死に臨んでよいお考えが浮かぶものです。ですから、この、金、銀、鉛の三つの箱を使って考案なさった運試しで、お父上のお心を選び当てる殿方こそお嬢様を選ぶのであり、お嬢様が当然愛すべきお方以外には当然選ばれないはずです。それはそうと、すでに求婚にお見えになっているあの王様たちのどなたかに心惹《ひ》かれる方はいないんですか。

ポーシャ　じゃ、順に名前を言ってみて。名前を言ったら、その人がどんな人か話すから、その話ぶりで私の思いに見当をつけるがいいわ。

ネリッサ　まず、ナポリの王様。

ポーシャ　ああ、あの頓馬《とんま》。馬の話ばっかりして、自分で蹄鉄《ていてつ》をつけられることが大のご自慢。あの方のお母様は鍛冶屋《かじや》と間違いを犯したんじゃないかと思うわ。

ネリッサ　それからパラティン伯爵。

ポーシャ　あの人は年がら年じゅうしかめっ面。まるで、「俺様が気に食わなければ、勝手にしろ」と言わんばかり。愉快な話を聞いてもにこりともしない。年をとったら泣きっ面の哲学者になるんだわ、若いうちからあんなにいやらしくまじめぶっちゃって。ああいうのと一緒になるくらいなら、口に骨をくわえた髑髏《しゃれこうべ》とでも結婚したほうがましよ。神様、あの二人から、私をお守りください。

ネリッサ　フランスの殿方、ムッシュー・ル・ボンはどうですか？

ポーシャ　あんな人でも神様がお創りになったんだから、人間なんでしょうね。本当に、人を嘲《あざけ》るなんて罪だとは思うけれど、あの人ときたら！　だって、あの人はナポリ王よりもすごい馬を持っていて、パラティン伯爵よりもひどいしかめっ面。そりゃいい人よ、いい人、どうでもいい人。鶫《つぐみ》が歌えば、たちまち踊りだし、自分の影を相手に剣を抜く。あんな人と結婚したら、いろんな夫をたくさん持つようなもの。私のことを嫌ってくれたら、赦《ゆる》してあげるわ。だって、狂おしいばかりに愛されても、とてもお返しができないもの。

ネリッサ　イングランドの若い男爵フォークンブリッジ様はどうですか？

ポーシャ　あの人にはなにも言えないわ。だって、私の言うことをわかってくれないし、私もあの人の言葉がわからないもの。あの人はラテン語も、フランス語も、イタリア語もできないし、私の英語がからっきしなのは、おまえ、法廷に出て証言できるでしょ。立派な男前なのに、残念！　口がきけなければ、会話はできないわ。それに、あの妙ちきりんな服装、なに？　イタリア製の胴着《ダブレット》に、フランス製の丸ズボン、ドイツ製の帽子、立ち居振る舞いは世界各国寄せ集め！

ネリッサ　お隣のスコットランドの殿様は?
ポーシャ　隣人愛にあふれているのね、イギリス人に耳を殴られて、この借りはいずれお返しできるときにお支払いしますっておっしゃったそうよ。フランス人が保証人になって、借用証書に判を捺《お》したとか捺さないとか。
ネリッサ　若いドイツ人、サクソニー公爵の甥御《おいご》さんは?
ポーシャ　午前中は大嫌い。しらふだから。午後はもっと嫌い。酔っ払っているから。一番いいときでも人間以下。最悪のときは獣《けだもの》同然。どんなひどいことになっても、あの人とは係わり合いにならないようにしたいわ。
ネリッサ　でも、箱選びに挑戦なさって、正しい箱をお当てになったら、あの方をお断りするのはお父上のご遺志に逆らうことになりますよ。
ポーシャ　だから、最悪の事態にならないように、間違った箱の上に白ワインの大きなグラスでも置いといてよ。なかに悪魔がいても、外にそんな誘惑があったら、あの人ならそれを選ぶはずよ。あんなスポンジ君と結婚するくらいなら、ネリッサ、私、なんでもするわ。
ネリッサ　お嬢様、今申し上げた方々との結婚を恐れるには及びません。皆様、決心の程をお知らせくださいまして、つまり、お国にお帰りになるそうです。箱選びというお父上が遺《のこ》された課題よりほかにお嬢様をものにする方法がないのなら、もはや求婚をしてお嬢様を煩わせないとのことでした。
ポーシャ　お父様の遺言どおりにするのが一番ね。それでお嫁にいけなきゃ、私、預言者シビュラみたいなお婆さんになるまで長生きしても、貞節な月の女神ダイアナのように頑《かたく》なに処女を守って死ぬわ。ものわかりがいい人たちでよかった。どのお一人をとっても、いらっしゃらないのがうれしくてたまらないもの。どうか、ご無事にご出立《しゅったつ》くださいますよう。
ネリッサ　覚えていらっしゃいますかしら、お嬢様、お父上のご生前に、モンフェラート侯爵とご一緒にこちらにお見えになった学者にして軍人のヴェニスの方を？
ポーシャ　ええ、ええ、バサーニオ、確かそんなお名前だったと思うわ。
ネリッサ　さようです。この愚かしい目でお見受けしたあらゆる殿方のなかで、あの方こそ、美しいご婦人にふさわしいお方でいらっしゃいますわ。
ポーシャ　よく覚えているわ。おまえが褒《ほ》めるのももっともだと思う。

召使登場。

ポーシャ　どうしたの、なんの知らせ？
召使　四人のお客様がお暇《いとま》を告げたいとお嬢様をお捜しです。それから、五人目となりますモロッコ大公の先触れがまいりまして、ご主人の大公様が今夜こちらへ到着すると申し越してございます。
ポーシャ　四人にさよならを告げるのと同じぐらいせいせいした気持ちで五人目をお迎えできるなら、喜んでお出迎えをするのだけれど。たとえ聖人君子のような立派な心の持ち主でも、悪魔のような黒い顔をなさっているなら、私を妻に娶《めと》ったりしないで、私の臨終でも看取《みと》ってほしいわ。行きましょう、ネリッサ。〔従者に〕おまえ、先にお行き。言い寄る男にさよならしても、すぐにお次がやってくる。

全員退場。

バサーニオがユダヤ人シャイロックとともに登場。※1

シャイロック　三千ダカットねえ。
バサーニオ　そうだ、三ヶ月。
シャイロック　三ヶ月ねえ。
バサーニオ　保証人は、さっきも言ったとおり、アントーニオだ。
シャイロック　保証人は、アントーニオねえ。
バサーニオ　助けてくれるか。頼まれてくれるか。答えはどうだ？
シャイロック　三千ダカットを三ヶ月、アントーニオが保証人。
バサーニオ　その返事は？
シャイロック　いい人だね、アントーニオは。
バサーニオ　そうじゃないという悪評を聞いたことがあるか？
シャイロック　いや、いや、いや、いや、いい人だと言ったのは、あの人なら大丈夫だという意味です。あの人の財産は計算上のものですな。商船をトリポリに一艘《そう》、インド諸島に一艘、それに取引所※2で聞いた話では、三艘目をメキシコへ、四艘目をイングランドへ、ほかにもまだまだあちこちに出しているとか。しかし、船なんてものは板にすぎない。船乗りも人間にすぎない。陸

※1　ロウの校訂以降、ここより第一幕第三場とするのが慣例。

※2　「取引所」と訳したが、原文は「リアルトー」。イタリア、ヴェニスのリアルトー島とその周辺の地域からなる商業地区を指す。リアルトー島とサン・マルコ島を結ぶ大理石のアーチ橋であるリアルトー橋は一五九〇年に造られた。

の鼠もいれば、海の鼠もいる、海の泥棒も、陸の泥棒も——つまり海賊ですな——それから、波に、嵐に、暗礁《あんしょう》の危険もある。まあ、それにしても、あの人なら大丈夫——三千ダカットねえ——あの人の保証なら受けていいかもしれん。

バサーニオ　そりゃあいいさ、大丈夫。

ユダヤ人※1　大丈夫と思いたいですよ。大丈夫と思えるように、考えているんです。——アントーニオさんと話ができますか。

バサーニオ　よかったら、一緒に食事でも。

ユダヤ人　そう※2、豚肉のにおいを嗅《か》いで、あんたがたの預言者ナ※3ザレが悪魔を閉じ込めた肉を食らいにね。あんたがたと一緒に売り買いをしたり、話したり、歩いたり、いろいろするが、飲み食いとお祈りは付き合えん。——取引所でなにがあったんだろう？こっちに来るのは誰だ？

　　アントーニオ登場。

バサーニオ　あれがアントーニオさんだよ。

ユダヤ人　〔傍白〕まるで尻尾《しっぽ》を振ってすりよる税金の取立人※4だ！
あいつは大嫌いだ。キリスト教徒だからな。
そのうえ、妙にぺこぺこしやがって

※1　第一・四折本も二折本も、ここより三箇所、「シャイロック」を「ユダヤ人」と表記している。ユダヤ人として発話していることを示すものだろうか。

※2　旧ケンブリッジ版がここを傍白と考え、オックスフォード版などがそれに従ったが、新ケンブリッジ版やペンギン版は傍白とみなしていない。

※3　イエス・キリストを指す。イエスが悪霊を豚のなかに追い込んだ逸話は新約聖書「マタイ伝」八・三〇〜、「マルコ伝」五・一一〜、「ルカ伝」八・三二〜にある。

※4　「ルカ伝」一八・一〇〜にある、神へ赦しを請う収税吏への言及とされる。

金をただで貸し出し、※このヴェニスで
我々の利息のレートを下げやがる。
あいつの尻尾をつかまえたら、
これまでさんざん受けてきた恨みを晴らしてやる。
やつは、我々神聖なる民族を毛嫌いし、
商人がどこよりも大勢集まる場所で私を罵《ののし》り、
私の商売を、正しく手にした儲《もう》けを悪《あ》しざまに言いやがった。
高利だなんだのと抜かして。こいつを許しておくようなら、
わが民族は地獄堕《お》ちだ。

バサーニオ　シャイロック、聞いているか？

シャイロック　今、持ち合わせの金額を計算していたんですが、
ざっと胸算用をしてみると、
すぐに耳をそろえるのは無理ですな、
まるまる三千ダカットも。いや、なんのことはない、
テュバルという金持ちのユダヤ人が
貸してくれる。だが、待てよ。何ヶ月、
お望みですか？〔アントーニオに〕これはどうも、旦那《だんな》、
今ちょうど、お噂をしていたところで。

アントーニオ　シャイロック、私は余計なおまけを

※　アリストテレスの『政治学』に、金に子を産ませるのは自然の理に反するとあり、ダンテの『神曲』地獄篇第十一歌で金貸しが地獄に堕ちる様が描かれるように、中世において金利を得ることは罪悪とみなされていた。
しかし、近代資本主義の台頭が始まったエリザベス朝時代において、金融業はいわば必要悪として認められ、一五七一年には金利の禁止を緩《ゆる》める法律が施行された。庶民の感情としては金貸しを憎悪する傾向が強い一方で、社会が金貸しを必要としているという矛盾した状況を『ヴェニスの商人』は描いている。

取ったりやったりして貸し借りはしない流儀だが、
友人の火急の物入りを助けるために
慣例を破るんだ。〔バサーニオに〕いくら借りたいか、
こいつはもう知っているのか。

シャイロック　ええ、ええ、三千ダカットで。

アントーニオ　三ヶ月間。

シャイロック　忘れてました――三ヶ月間。そうでしたね。
では、その証文を。ええっと――でも、
確かおっしゃっていましたね、金の貸し借りに
利子はつけないと。

アントーニオ　決してつけない。

シャイロック　ヤコブがラバン伯父《おじ》さんの羊飼いをしていたとき、※
――このヤコブというのは、賢い母親がうまく取り計らって、
我らがありがたいご先祖アブラハム様の三代目、
そう、三代目の跡取りにおさまった男で。

アントーニオ　それがどうした、利子でも取ったか？

シャイロック　いや、利子じゃない。あんたがたが言うような
直接の利息じゃない。いいですか、ヤコブのやったのは
こういうことです。ラバンとのあいだで取り決めをして、

※旧約聖書「創世記」第二七章に、アブラハムの息子イサクが、老いて盲目となったとき、その妻リベカ（レベッカ）に騙《だま》され、長男エサウをさしおいて双子の次男ヤコブを後継者とさせた逸話がある。ヤコブが子山羊の毛皮をかぶって父の祝福を受けるくだりは、ランスロット・ゴボーが盲目の父に髪の毛を触らせながら祝福を受ける場面と呼応する。ヤコブの羊の話は、「創世記」第三〇章・第三一章にある。
ラバンはリベカの兄。

縞《しま》や斑《ぶち》の子羊は皆お駄賃として
ヤコブのものにすると決めておきまして、
さかりがついた雌が雄に尻《しり》を振る秋の終わり、
ふかふかの羊たちが、まさに
産めよ増やせよという行為をしていると、
この抜け目ない羊飼いは木の枝の皮を剝《は》いで棒を作り、
その自然の営みの真っ最中に、
発情した牝羊《めひつじ》の前にずらりと並べて突き立てた。
そのとき孕《はら》んで産まれた子は、
どれもまだらばかりで、皆ヤコブのものとなった。
これぞ、利殖の方法。ヤコブは神の祝福を受けたわけです。
盗みを働くのでなければ、儲けるのは神のお恵みです。

アントーニオ　それは賭《か》けだな、ヤコブがやったのは。
自分の力でどうこうできるものではなく、
神の御手《みて》が定め、生み出したことだ。
そんな話をして、利息を正当化できると思うのか。
それともおまえさんの金銀は番《つがい》の羊なのか。

シャイロック　さあてねえ、羊のように子を産ませますが——
だがまあ、お聞きなさい。

アントーニオ
悪魔も聖書を引用する、※1 聞いたかい、バサーニオ、
神聖なる言葉を引き合いに出してみせる邪悪な魂は、
満面の笑みをたたえた悪党のようなもの。
見栄えはよいが、芯《しん》の腐った林檎《りんご》だ。
虚偽にはなんと立派な外見があることか！

シャイロック　三千ダカットっていうのは、なかなかの金額です。
年利で三ヶ月っていうと、ええっと利率は――。

アントーニオ　それで、シャイロック、世話してくれるのか？

シャイロック　アントーニオさん、これまで何度も
取引所では、私の金のこと、利子のことで
さんざっぱら罵ってくださいましたねえ。こちらはいつも、
大きな溜息《ためいき》一つつくだけで、じっとこらえてきました。
忍耐というのがわが民族の勲章ですからな。
あんたは私を、異教徒だ、人殺しの犬だと呼び、
ユダヤの上着《ギャバディーン》※2に唾を吐いてもくれたが、それもこれも、
私が私のものを私の好きに使うのが気に食わんからだ。
それで、今度はどうやら、私の助けがお入り用らしいですな。
それでもって、私のところへ来てこうおっしゃる、

※1　諺《ことわざ》的表現。「マタイ伝」四・六と「ルカ伝」四・一〇に、悪魔がイエスを試そうとして聖なる言葉を引用するところがある。

※2　足元まであるゆったりした上着。舞台の伝統としてユダヤ人の服とみなされてきたが、『テンペスト』第二幕第二場でトリンキュローがキャリバンの「ギャバディーン」の下にもぐりこむなど、必ずしもユダヤ民族独特のものではない。

「シャイロック、おまえの金がほしい」とねえ。
この鬚《ひげ》に痰《たん》を吐きつけ、
野良犬を玄関口から蹴《け》り出すように
私を足蹴にしたあんたが、お金がほしいとね。
こりゃなんとお返事しましょう。こういうのはどうですかな、
「犬に金がありますか、野良犬に
三千ダカットお貸しできましょうか」
あるいは頭を低く下げて、奴隷のように
卑屈になって、かすれた小さな声で、こう言いましょうか。
「旦那様、先週の水曜日には唾を吐いて頂きました、
先日は足蹴にして頂き、いつぞやは
犬と呼んでくださいました。そのお礼に
これこれのお金をお貸し致します」って?
アントーニオ　これからもおまえをそのように呼び、
また唾を吐き、足蹴にしてやる。金を貸す気があるなら、
友達に貸そうというつもりになるな。
孕《はら》むはずのない金属を友達に貸して、
友情が利子という子を産ませたことがあったか。
むしろ敵に貸すと思え。

違約でもすれば、大きな顔をして
かたを取ればいい。
シャイロック　これはまたなんという剣幕だ！
こっちは仲良くして気に入られようとしているのに！
浴びせかけられて染みついた侮辱を忘れ、
すぐお金をご用立てし、びた一文
利子を取るまいとしているのに、聞こうともなさらない――
こっちは親切にしようとしているんだが。
バサーニオ　親切ならいいが。
シャイロック　親切だとわかるようにしましょう。
一緒に公証人のところへ行き、ひとつ、利子なしの証文※に
判を捺《お》してください。ただ、ほんの陽気な冗談として、
これこれの日にこれこれの場所で
条件に記されているこれこれの額を
ご返済頂けないときは、そのかたとして
あなたの立派な体のどこからでも
きっかり一ポンド、私が好きなところの
肉を切り取ってよいことにしましょう。
アントーニオ　承知した。その証文に判を捺そう。

※ single bond　新ケンブリッジ版の注釈には「条件つきでない証文のこと。だが、すぐにシャイロックは、冗談としての条件を思いついたふりをする」とある。クラレンドン版（一八六九年）には「保証人の名前が記載されていない証文」という注釈がある。
　ここでは、「利子も保証人もなしの証文」と解したが、訳語としては「利子なしの証文」として、シャイロックが親切をしているという文脈に合わせた。

そしてユダヤ人も存外、親切だと言うことにしよう。
バサーニオ　ぼくのためにそんな証文に判をついちゃだめだ。
それくらいなら金に困っているほうがましだ。
アントーニオ　なに、心配はいらない。違約などしやしない。
二ヶ月もしないうちに、つまりこの証文の期限が来る
ひと月も前に、この証文の金額の
九倍の金が戻ってくるはずだ。
シャイロック　ああ父なるアブラハム様、なんですか、
このキリスト教徒たちは。自分がひどいことばかりするから、
他人もそうだろうと疑ってかかる！　教えてもらいたいですね、
この人が約束の期限を破ったからといって、
私になんの得があるというのです、かたをとったところで？
人肉一ポンド、人間から切り取ったって
羊や牛や山羊《やぎ》の肉ほど価値もなければ、
儲《もう》けにもならんでしょうが。ご機嫌を伺って、
友情の手を差し伸べているんだ。
受けるならよし、受けないなら、さよならだ。
とにかく人が好意でやっているのに侮辱せんでもらいたい。
アントーニオ　受けよう、シャイロック、証文に判を捺す。

シャイロック　では、公証人のところで落ち合いましょう。
この酔狂な証文の書き方を指示しておいてください。
私は早速現金を用意してまいりましょう。
だらしのない召使に留守番をさせているものだから、
無用心な家を見回ってきます――そしたらすぐ
ご一緒致します。

〔シャイロック〕退場。

アントーニオ　さよなら、優しいユダヤ人。※1
ヘブライ人がキリスト教徒になりそうだ、親切になったぞ。

バサーニオ　立派な言葉に悪魔の心があるのは嫌だな。

アントーニオ　おいおい、こいつに関しては心配いらんよ。
私の船は期日のひと月前に帰ってくるんだ。

全員退場。

〔コルネット吹奏、※2〕白服を着た色黒のムーア人のモロッコ大公、
それに付き従う三、四人の従者、ポーシャ、ネリッサ、その従者
たち登場。※3

モロッコ　肌の色で私をお嫌いにならないでください。
これは煌《きらめ》く太陽に仕える影が着る服。

※1 「優しい」(gentle) は「非ユダヤの、キリスト教徒の」(gentile) と当時同じ発音であったとされる。

※2 高位の人物の登場を知らせるコルネット吹奏のト書きは、二折本にある。

※3 二折本には、このト書きの前に「第二幕」と記されている。初版本に幕場割りはない。ロウの校訂以降、ここより第二幕第一場とするのが慣例。

私は太陽の神の一族にして、そのおそばで暮らす者です。※1
太陽神ポイボス※2の火が氷柱《つらら》を溶かすこともない北国から、
色白の美男子を連れてきてごらんなさい。
あなたへの愛の証《あかし》に、その男のと私のと、
どちらの血が赤いか、切り裂いてごらんにいれましょう。
この顔は、どんな勇者をも顔色《がんしょく》なからしめたものです。
わが愛にかけて誓います。
国一番の美女たちもこの顔にはぞっこんです。
この色を変えたいとは思いません。変えれば
愛《いと》しいあなたの思いを盗めるなら、話は別ですが。

ポーシャ　選ぶということでは、私は
好みのうるさい小娘のように目だけを頼りに致しません。
それに、わが運命は籤《くじ》に委《ゆだ》ねられていますから、
自分で選ぶ権利がございませんの。
でも、もし、父が私を束縛せず、
先ほど申し上げた方法で私を勝ち得る方の妻になるように
という父の賢明な遺言がなければ、
名高い大公でいらっしゃる殿下は、
これまでいらしたお客様に劣らず白星をおあげになるでしょう、※3

※1　旧約聖書「雅歌」一・六の「われ色くろきが故に日のわれを焼きたるが故に」参照。

※2　英語発音フィーバス。太陽神アポローンの呼称。

※3　stood as fair / As any comer I have looked on yet「これまで私が会った訪問者たちと同じくらいうまくいく」。新ケンブリッジ版の注釈が指摘するとおり、これまでの求婚者が諦《あきら》めて立ち去ったことを知る観客には、この台詞《せりふ》が皮肉であるとわかる。また、モロッコ大公の黒い肌を意識して「白星」(fair) と言うのも、皮肉である。

私の愛をかけた決戦で。

モロッコ　お言葉、ありがとうございます。

では、わが運命を試すべく、
箱のところへご案内ください。ペルシア王を斬り捨てた
この半月刀にかけて——トルコ皇帝ソリマン[※1]を三度《みたび》倒した
あのペルシア王を破ったこの刀にかけて——
あなたを勝ち得るためなら、私はどんなおそろしい目玉をも
睨《にら》み返してみせよう。地上最強の勇猛な心臓の持ち主よりも
勇敢になってみせる。母熊から乳を吸う子熊を
ひったくってみせる。そう、獲物を求めて吠《ほ》えたける獅子をも
嘲《あざけ》ってみせましょう。だが、ああ残念だ！
英雄ヘラクレスとその部下リカース[※2]がさいころ勝負で
どちらが強いか決めるなら、いい目を出すのは、
運次第で弱いほうかもしれない。
ヘラクレスが狂気に打ちのめされたように[※3]、
私も、目のきかぬ運命の女神に導かれ、
くだらぬ男が勝ち得るものを取りそこね、
悲嘆にくれて死ぬやもしれぬ。

ポーシャ　やってみないとわかりません。

※1　トマス・キッドの悲劇『ソリマンとパーセダ』（一五九二年頃）にも描かれた高名なオスマントルコ帝国の皇帝（在位一五二〇〜六六）。スレイマンとも。

※2　英雄ヘラクレスの部下リカースは、英雄の妻デーイアネイラに、英雄がイオレーを愛していると告げた。夫の愛をつなぎとめようとした妻は媚薬《びやく》と信じてネッソスの毒を夫の下着に塗り、ために英雄は狂乱し、リカースを海に投げ捨て、服に身を焼かれて死ぬ。

※3　ここでいう狂気とは、オックスフォード版や新ケンブリッジ版の注釈が示唆するとおり、毒塗りのシャツが引き起こした狂気を指すのであろう。

そして、箱選びを一切なさらないか、あるいは、
なさる場合は、選ぶ前にお誓い頂かなければなりません。
間違った箱を選んだら、そののち、二度と
女性に結婚を申し込まないと。ですから、どうかご慎重に。

モロッコ　そう誓おう。さあ、運命を試させてください。

ポーシャ　まずは寺院へお越しください。昼食のあとで、
運試しを。

モロッコ　では幸運を祈ろう。幸福の絶頂か、
不幸のどん底か、運次第だ。

全員退場。

道化〔ランスロット・ゴボー〕独りで登場※1。

道化※2　ほんとに、おいらの良心だって、ユダヤの旦那《だんな》から逃げ出せと言ってくれてもよさそうなもんだ。鬼がこの肘《ひじ》のところへやってきて、誘惑しやがる。「ゴボー※3、ランスロット※4・ゴボー、善良なランスロット」とか「善良なゴボー」とか言うんだ。「善良なランスロット・ゴボー、走れ、すたこらさっさと逃げちまえ」。すると、おいらの良心が言う、「いや、気をつけろ、正直者のランスロット、気をつけろ、正直者のゴボー」、でなきゃ、さっき

※1　ロウの校訂以降、ここより第二幕第二場とするのが慣例。

※2　のちに父と会話するとき、表記が「道化」から「ランスロット」に変わる。

※3　第一・四折本でも二折本でも、作品中全て「ヨブ」(Iobbe＝Job)となっている。聖書中のヨブは、「大きな苦難に耐え抜く人」。第二・四折本ではGobboとなっているので、父親と同姓の「ゴボー」に訂正する校訂の伝統がある

※4　第一・四折本でも二折本でも、「小さなナイフ」を意味する「ランスレット」(Launcelet)となっている。第三・四折本にあるLancelotを採用するのが慣例となっている。

言ったみたいに、「正直者のランスロット・ゴボー、逃げるな、逃げようなんて考えを蹴っ飛ばせ」。そしたら、すっごく肝っ玉の太そうな鬼がおいらに荷物をまとめろと命じる。「さあ！」と鬼がぬかすんだ、「逃げろ」ってな、「勇気を振り絞って」ときたもんだ、「逃げろ」って鬼が言う。すると、良心がこの心の首根っこにまとわりついて、これまたえらく賢そうに言う、「正直な友、ランスロットよ、正直者の息子よ」、いや正直女の息子だよ、だって親父はいささか匂ったからね――ちょいと臭かった、やばかったからな。で、良心が言う、「ランスロット、動くな！」――「動け！」と鬼――「動くな！」と良心。「良心さん、ご忠告ありがとう」とおいら――「鬼さん、ご忠告ありがとう」とおいら――良心の言うとおりにすりゃ、このままユダヤの旦那と一緒にいることになるが、この旦那が――神様ごめんなさいよ！――悪魔みてえなもんだ。でもって、このユダヤから逃げ出すとなりゃあ、おいらは鬼の言いなりになるってことで、この鬼は――神様ごめんなすって！――本物の悪魔ときてやがる。間違いなく、あのユダヤは悪魔の化身だから、そのユダヤと一緒にいろなんて忠告する良心っていうのは、ひでえ良心だよ。鬼のほうがもっと親切な忠告をくれる。おいら逃げるよ、鬼さん、あんたの命じるとおりに、すたこらさだ。

〔駆け出したとたん、〕籠《かご》を持った老ゴボー登場。

ゴボー　お若いお方、失礼ですが、ユダヤの旦那のお宅はどちらですか。

ランスロット　たまげたぜ、こりゃ、おいらの生みの親父じゃないか。かすみ目どころか、雨あられ目になっちまっておいらがわからねえときた。どれ、からかってやろう。

ゴボー　お若いお方、失礼ですが、ユダヤの旦那のお宅はどちらですか。
ランスロット　次の角を右に行って、その次に来たら左に曲がるんだ。そんでもって、その次は左右に曲がらず、そのままっすぐ行かなきゃ、ユダヤの旦那の家だ。
ゴボー　やれやれ、ややこしい道だ。ところで、ご存じでしょうか、その旦那と一緒に住んでいるランスロットという男が今も一緒かどうか。
ランスロット　若旦那のランスロット様のことかい？　〔傍白〕さあて、ここからお涙頂戴《ちょうだい》の物語にしてやるぞ。——若旦那のランスロット様のことかい？
ゴボー　旦那だなんてとんでもない、貧乏人の倅《せがれ》です。その父親というのが、自分で言うのもなんですが、正直者のひどい貧乏人で、おかげさまで長生きをしております。
ランスロット　ふん、父親のことはどうでもよい、若旦那のランスロット様の話をしておるのだ。
ゴボー　あなた様のお友達のランスロットでございます。
ランスロット　だが、しかるがゆえに、爺《じい》さん、しかるがゆえに、若旦那のランスロット様の話をしておるのだろう。
ゴボー　はい、ランスロットのことでございます。
ランスロット　しかるがゆえに、若旦那のランスロット様だ。若旦那のランスロット様の話をしてはいかん。なにしろ、あの紳士は、運命だか、宿命だか知らぬが、運命を操る三女神とかなんとか、ものの本にあるだろう、あれのおかげで身罷《みまか》った、ひらたく言えば、おっちんだ。

ゴボー　なんということ！　あの子はこの老いの身の杖《つえ》であり、支えであったのに。
ランスロット　〔傍白〕おいらが棒か柱に見えるか、杖だの支えだの？――親父さん、おいらがわかるか？
ゴボー　いやはや！　わかりません、お若いお方。でもどうか、教えてください、倅は――神様、お守りを！――生きておりますか、死にましたか？
ランスロット　おいらがわからねえか、親父さん？
ゴボー　いや、それが、かすみ目でしてな、わかりません。
ランスロット　よく目が見えたところで、わからないんじゃないかい。自分の子供がわかる父親は賢いっていうからな。なあ、ご老体、息子さんのことを教えてやるよ。〔跪《ひざまず》いて〕祝福をください――真実はいずれ知れる、悪事は隠せない。隠し子をしても、結局ばれちまう。
ゴボー　どうか、お立ちください。あなた様は倅のランスロットではありません。
ランスロット　もうふざけるのはやめて、祝福してくれよ。おいらはランスロット、今も昔もこれから先も、あんたの息子、倅、子供さ。
ゴボー　あなたが倅とは思えん。
ランスロット　そこにどういう深い意味があるか知らねえが、おいらはユダヤの召使のランスロットで、あんたの女房のマージャリーがおいらのおっかさんだよ。
ゴボー　確かにあれの名はマージャリーだ。おまえがランスロットだとすると、わが血肉を分けた倅に間違いない。〔跪いているランスロットの後頭部を触って〕こりゃぶったまげた、なんてすごい鬚《ひげ》だ！　おまえの頤《あご》に生えた毛は、うちの駄馬ドビンの尻尾《しっぽ》よりふさふさしている。

ランスロット　ドビンの尻尾の毛はだんだん短くなるのかな。この前見たときは、おいらの顔よりもドビンの尻尾のほうがもじゃもじゃだったよ。

ゴボー　まったくなんて変わっちまったんだ！――ご主人とはうまくいっているのか？　手土産を持ってきたんだ。うまくいっているんだろうな？

ランスロット　いやなに、おいらとしちゃあ、逃げ出すほうに賭《か》けたんで、少し駆け出さないことには思慮に欠けるんだ。なにしろ、うちの旦那はとことんユダヤ人だからね。手土産を持って来たって？　首くくりの縄をやったほうがいい！　あいつに仕えて、おいら、飢え死にしそうだぜ。ほら、あばら骨で指一本一本数えられるぐれえだ。親父さん、いいときに来てくれたよ、その手土産をバサーニオという旦那にやってくれろ。そりゃ、家来に上等で新品の揃いの上着を着せてくれる人だ。その人に仕えるんでなけりゃ、おいら、地面の続く限り逃げ続けるよ。ああ、なんて幸運だ！　ご当人のお目見えだ！　ほら、親父さん、あの人に頼んでおくれ。ユダヤなんかにこれ以上仕えたら、こっちがユダヤになっちまわあ。

バサーニオが〔リオナードと〕一、二の従者とともに登場。

バサーニオ　それでいいが、急がせて、遅くとも五時までには夕食の支度をしておいてくれ。この手紙を全部配達させ、揃いの上着も注文しろ。グラシアーノには、すぐに家に来るように言ってくれ。　〔召使の一人が退場〕

ランスロット　話しかけて、親父さん。

ゴボー　失礼ですが、旦那。
バサーニオ　どうも、なにかぼくに用ですか。
ゴボー　こちらにおりますのが倅で、かわいそうな子でして。
ランスロット　かわいそうな子ではなくて、金持ちのユダヤ人の召使なんですが、くわしくは親父から申し上げますとおり……。
ゴボー　お仕えしたいという、いわゆるその、強い羊毛がありまして……。
ランスロット　要するにです、おいらはユダヤ人に仕えており、お願いがあるのですが、くわしくは親父から申し上げますとおり……。
ゴボー　その旦那とこれとは、殿下の前で失礼ではございますが、茶飲み友達ではございませんで……。
ランスロット　つまり、本当のところは、ユダヤ人がおいらにひどい仕打ちをしまして、わたしとしては、親父から、なにしろ老人でございますので、説明差し上げるものがあるかと。
ゴボー　殿下にお渡ししようとここに鳩の肉料理をお持ちしたのですが、お願いの向きと言うのは……。
ランスロット　手短に言えば、お願いというのは、あっしにはかかわりのねえことでございませんで、今、この正直な老人から説明がございますが、これが自分で言うのもなんですが、年寄りとは言え、かわいそうに、わが父親でして……
バサーニオ　話すのはどちらか一人にしてくれないか。なにをしたいのだ。
ランスロット　ご奉公です。

ゴボー　そこが話の酔う点です。

バサーニオ　おまえのことはよく知っている。願いを聞き届けよう。おまえの主人のシャイロックとは今日話をしたが、おまえのことを推挙していたぞ。金持ちユダヤの奉公をやめさせ、貧乏紳士の郎党にしてやるのが、推挙と言えるならね。

道化　例の古い諺《ことわざ》を、シャイロックと旦那とでうまいこと分けられますね。「神のお恵みは」ってのが旦那の取り分で、「財産なり」ってのがシャイロックのだ。

バサーニオ　うまいことを言うな。さ、親父さん、息子さんと一緒に行っておやりなさい。〔道化に〕おまえは前の主人に暇をもらってきたら、こちらの家に来るがいい。〔従者たちに〕ほかの連中より派手な揃いの上着を作ってやれ。いいな。

道化　親父さん、さ、行こう――〔予想外にうまくいったので、喜びをわざと逆に表現して〕やっぱり無理だなあ、奉公させてもらうってのは。おいら、しゃべるのが苦手でおとなしすぎていけねえ。このイタリアでおいらよりすげえ手相しているやつがいたら、おいらの運も捨てたもんじゃねえんだが。おっと、この単純な生命線はどうよ？　女房の数が、ええっと、なんだ、十五人ぽっちじゃどうしようもねえ。十一人の後家さんと処女が九人ってのは、男一人の取り分としてはぱっとしねえなあ。しかも、三度溺《おぼ》れかかるが助かり、羽根布団の端で間一髪の危ないところを助かるって、至極平凡な命拾いじゃねえか。まったく、運命の女神が女なら、今回のことに関しちゃ、いい女《スケ》だぜ。親父さん、さあ、おいら、あっという間にユダヤの旦那にさよならするぜ。

道化〔と老ゴボー〕退場。

バサーニオ　いいか、リオナード、頼んだぞ――今言ったものを買い揃えて、順序良く船に積み込み、急ぎ戻ってきてくれ。今晩、誰よりも大切なお客をおもてなしするんだからな。さあ、行ってくれ。

リオナード　精一杯努めてまいります。

リオナード退場〔しかかる〕。

グラシアーノ登場。

グラシアーノ　ご主人は？

リオナード　むこうを歩いておられます。

〔リオナード退場〕

グラシアーノ　バサーニオさん！

バサーニオ　グラシアーノ！

グラシアーノ　お願いがあります。

バサーニオ　いいよ、叶《かな》えてやろう。

グラシアーノ　嫌とは言わせません、どうしても一緒にベルモントに行きたいのです。

バサーニオ　じゃあ行くしかないね――だが、グラシアーノ、君はあんまり乱暴で無礼で、ずけずけとものを言いすぎる。
まあ言ってみれば、君らしくていいし、
ぼくのような者の目から見れば欠点とは思えないが、
知らない人から見たら——
あまりに進歩的すぎるんじゃないか——どうか、
ほんのちょっと慎みという水滴を垂らして、
その飛び跳ねる精神を宥《なだ》めておいてくれ。さもないと
君の無作法のおかげで、ぼくまでが先方に誤解されて、
望みを失うことになりかねない。

グラシアーノ　バサーニオさん、聞いてくれ。
俺はまじめな態度を身につけるよ。
話すときは相手を敬い、罵《ののし》るのは、ときたまにする。
ポケットには祈禱書《きとうしょ》をしのばせ、まじめそうにする。
それどころか、お祈りのときなんかは、こんなふうに
帽子で目を隠して、溜息《ためいき》まじりに「アーメン」って言うさ。
ばあさんのお気に入りになれるように
礼儀作法を研究し尽くした者みたいに、そりゃもう
大真面目にやってみせるから、任せておいてくれ。

バサーニオ　お手並み拝見といこうじゃないか。

グラシアーノ　おっと、今夜は別だぞ。今夜の俺で判断しないでくれ。

バサーニオ　そんなことをしたら残念だ。むしろ今夜は、せいぜい陽気に振る舞ってくれ。愉快にやりたい友達を集めるんだから。だが、ちょいと失敬、今は用があるので。

グラシアーノ　俺もロレンゾーたちのところへ行かなきゃ。夕食時にはお宅へ伺うよ。

全員退場。

ジェシカと道化〔ランスロット〕登場。※

ジェシカ　残念だわ、おまえがうちを出て行くなんて。うちは地獄だけど、陽気な悪魔のおまえがいてくれたら、少しは退屈もまぎれたのに――。でも、さようなら。この一ダカット、おまえにやるわ。それで、ランスロット、夕食のとき、ロレンゾー様というおまえの新しいご主人様のお客に会ったら、この手紙を渡して。――こっそり渡すのよ。

※ロウは第二幕第二場以降第六場まで分割しなかったが、一七六七〜八年出版のシェイクスピア全集の編者エドワード・ケイペルが加えた校訂以降、ここより第二幕第三場とするのが慣例。

じゃあ、さようなら。お父さんには
おまえと話していたこと、知られたくないから。

道化　さいなら。涙のせいで言葉が――出てくる。さいなら、美しい異教徒、優しいユダヤ娘！　キリスト教徒が悪さをして、あんたをこさえたに違いない。だけど、さらばじゃ！　この馬鹿な水滴が、なんだか、おいらの男気を溺れさせちまう。さらばじゃ！　〔退場〕

ジェシカ　さようなら、ランスロット。
ああ、自分の父親を恥じるだなんて、
なんて恐ろしい罪だろう！
でも、父の血をひく娘であっても、
父のやり方は受け継がない。ああ、ロレンゾー、
お約束を守ってくださるなら、こんな苦しみともこれっきり。
きっぱりキリスト教徒となって、あなたの妻になりましょう。
退場。

グラシアーノ、ロレンゾー、サレーリオ、ソラーニオ登場。※1

ロレンゾー　いや、夕食のときに抜け出して、
俺の家《うち》で変装すれば、一時間でみんな戻ってこられる。※2

※1　ケイペルの校訂以降、ここより第二幕第四場とするのが慣例。
※2　パーティの途中で一旦《いったん》仮装しに家に戻り、松明持ちとともに仮面舞踏者として現われようという趣向である。

グラシアーノ　まだ準備万端じゃないからな。
サレーリオ　松明《たいまつ》持ちの話もついていない。
ソラーニオ　うまく手配できないとまずいことになるから、やめといたほうがいいと思うね。
ロレンゾー　今まだ四時だ。あと二時間、準備の時間がある。

ランスロット〔が手紙を持って〕登場。

ロレンゾー　ランスロットじゃないか、どうした？
ランスロット　これをご開封頂ければ、おわかり頂けましょう。
ロレンゾー　この筆跡、知ってる。きれいな字だ。これを書いたのは、この紙よりも白い手だ。
グラシアーノ　恋文だな、こりゃ。
ランスロット　ごめんなすって。
ロレンゾー　どこへ行く？
ランスロット　いやなに、前の主人のユダヤの旦那《だんな》に、新しい主人のキリスト教徒の旦那と一緒に今晩食事をどうぞとお伝えに。
ロレンゾー　待て——これを持って行け。優しいジェシカに、きっと行くと伝えてくれ――内緒で伝えるんだぞ。

道化退場。

さあ、諸君。今晩の仮装行列の準備にかかろう。
松明持ちは用意できた。

サレーリオ　よしきた、すぐにとりかかるぞ。

ソラーニオ　右に同じだ。

ロレンゾー　一時間ほどしたら、グラシアーノの家で
落ち合おう。俺とグラシアーノはそこにいる。

サレーリオ　よし、わかった。

〔サレーリオとソラーニオ〕退場。

グラシアーノ　さっきの手紙、ジェシカからだろ?

ロレンゾー　君には全部打ち明けておこう――あの子を
親父の家から連れ出す手はずを、あの子が書いてよこしたんだ。
どんな金や宝石を持って出るとか、
どんな小姓の服を用意しているとかね――。
親父のユダヤが天国に行くようなことがありゃ、
優しい※娘のおかげだね。
ああいう子には災いなんて寄りつかないよ、
不信心のユダヤを親に持ったという

※　31頁の注にあるように、「優しい」(gentle)と「非ユダヤの、キリスト教徒の」(gentile)との洒落《しゃれ》が繰り返される。

ジェシカが俺の松明持ちになってくれるってさ。
さあ、一緒に行こう。道すがら、読んでみろよ、
祟《たた》りでもありゃ別だけど。

全員退場。

ユダヤ人〔シャイロック〕とその従者だった道化〔ランスロット〕登場。※

シャイロック　ふん、今にわかる。その目で、とくと
見極めるんだな、シャイロックとバサーニオの違いを――。
おい、ジェシカ!――うちでやっていたような
大食いはできなくなるぞ――おい、ジェシカ!――
鼾《いびき》をかいて眠りこけるのも、服に鉤裂《かぎざ》きをこさえるのも――
おい、ジェシカといったら!
道化　おい、ジェシカ!
シャイロック　誰が呼べと言った?　おまえに言いつけてはおらん。
道化　だって、旦那はいつもおっしゃってたじゃないですか。
おまえは、言いつけないと何一つやらない男だって。

ジェシカ登場。

※　ケイペルの校訂以降、ここより第二幕第五場とするのが慣例。

ジェシカ　お呼びですか。御用は？

シャイロック　夕食に招かれた、ジェシカ。

ここに鍵《かぎ》がある。——だが、どうして出かけねばならんのだ？

歓迎されて招かれているわけではない、ご機嫌取りにすぎん。

しかし、出かけてやろう、憎しみを持って、無駄遣いの

キリスト教徒にたかってやるんだ。ジェシカよ、

留守を頼んだぞ。——行きたくないな、

どうも不吉なことが起こりそうな気がする。

昨夜《ゆうべ》、金袋の夢を見たからな。

道化　どうぞ、旦那、お出かけください。私の主人が旦那のごしっせきをおまちかねです。

シャイロック　叱責《しっせき》されに行くとするか。

道化　それから皆で共謀しておりましたが——別に旦那に仮装舞踏会をご覧頂きたいわけではありませんが、ご覧になるなら、あれもなにかの前兆ってことでしょうね、このあいだの不吉の月曜日、朝六時に、おいら鼻血を出したでしょ、それがちょうどその年の灰の水曜日に当たる午後四年のことでした。

シャイロック　なに、仮装舞踏会があるのか？　よいか、ジェシカ、

戸締まりをしておけ。太鼓の音や、

首をひん曲げた笛吹きのいやらしい音が聞こえてきても、

窓によじ登ったり、

通りに首を突き出したりするな。
キリスト教徒の阿呆《あほう》どもの飾り立てた顔など見ずに、
家じゅうの耳を押さえて、つまり窓を閉めて、
薄っぺらな気取り屋たちの音を
まじめなわが家に入れてはならぬ。ヤコブの杖《つえ》にかけて、
今晩は外で食事をしたくはないものだ。
だが、行こう。おい、先に行って、
私が来ると伝えてこい。

道化　では、お先に。
お嬢さん、そうは言われても、窓からのぞいてご覧なさい――
　キリスト教徒が通るよう、
　ユダヤ娘の目の保養。

〔退場〕

シャイロック　あのすれっからしの阿呆はなんと言ったんだ、え？

ジェシカ　「さようなら、お嬢さん」と、ただそれだけ。

シャイロック　あの出来損ないもいいやつなんだが、
大食らいで、仕事は蛇の遅さで、昼間は
野良猫よりも眠りこける。怠け者はうちには置かない。
だから、暇を出した。暇を出して、
借金だらけの男の無駄遣いを

手伝わせてやるんだ。さ、ジェシカ、なかへお入り。
ひょっとするとすぐ戻ってくるかもしれんが――
言いつけたとおりにするんだぞ。入ったら戸を閉めるんだ。
しっかり締めれば、たっぷり貯《た》まる。
倹約家には古びることのない諺《ことわざ》だ。

退場。

ジェシカ　さようなら――これで運命に邪魔が入らなければ、
私は父を、父は娘を失うんだわ。

退場。

仮面をつけたグラシアーノとサレーリオ登場。※

グラシアーノ　この家だな。ロレンゾーが俺たちに
庇《ひさし》の下で待っていてくれと言っていたのは。
サレーリオ　約束の時間はもうすぎちまうぞ。
グラシアーノ　時間に遅れるなんて不思議だね、
恋する者の時間は、時計より速いはずだが。
サレーリオ　ヴィーナスの車を引っぱる鳩だって
新しい愛の証文に判を捺《お》すときは猛スピードだが、
昔の誓いを守るときは、十倍のろいぞ。

※　ケイペルの校訂以降、ここより第二幕第六場とするのが慣例。

グラシアーノ　そんなもんさ。宴会の席から立ち上がるとき、
着席したときの旺盛《おうせい》な食欲を持っているやつがいるか？
馬だって、長い道のりを戻るときは、
行きに突っ走ったときの燃えるような勢いで
もう一度走ろうとはしないだろ？　なんだって、
手に入れてからより手に入れようとするときに熱くなるんだ。
まるで放蕩《ほうとう》どら息子、
着飾って祖国《くに》の港を出る船は、
娼婦《しょうふ》の風に抱きつかれ、ちやほやされて、大威張り。
帰りもやっぱりどら息子、
肋《あばら》はよれよれ、帆はぼろぼろ、
娼婦の風に食いつぶされて、痩《や》せて、すっかり丸裸。

ロレンゾー登場。

サレーリオ　ロレンゾーだ。今の話はまたあとで。
ロレンゾー　いやあ、長いことお待たせして申し訳ない。
俺のせいじゃない、用事があったからだ。
君たちが女房を盗み出そうとするときは、今度は俺が
負けずに長い見張りをしてやるよ。さ、こっちだ。

ここに俺の父親のユダヤ人が住んでいる。おおい、誰かいるか？

二階舞台に〔少年姿の〕ジェシカ登場。

ジェシカ　誰？――念のために、答えて。
その声はわかっているつもりだけれど。

ロレンゾー　君の恋人ロレンゾーだ。

ジェシカ　確かにロレンゾー、間違いなく私の恋人だわ。
私がこんなにも愛している人は他にいないもの。それに、
私があなたのものだと知っているのはロレンゾーだけだもの。

ロレンゾー　天がみそなわし、君の思いが証言する。

ジェシカ　ほら、この箱を受け取って。重たいだけのことはあるのよ。
夜でよかった――こんな恰好《かっこう》をあなたに見られなくて――
だって、こんな姿、とても恥ずかしいのよ。
でも恋は盲目。恋する者には、
自分でやっている馬鹿げた振る舞いが見えないんだわ。
だって見えていたら、キューピッドだって顔を赤らめるわ、
私がこんなふうに男の子に変わってしまっているのを見て。

ロレンゾー　降りて来いよ。松明《たいまつ》持ちになってもらわなきゃ。

ジェシカ　え、自分の恥を照らす明かりを捧《ささ》げ持つの？

私の恥は、照らさなくたって、みえみえだわ。
松明持ちは明るみに出す役目でしょ、
私は隠れていなきゃならないのよ。

ロレンゾー　　そうだね、
そのかわいい男の子の服のなかに隠れておいで。
でも、さあ、降りてきてくれ。密《ひそ》かな夜は、逃げ足が速い。
もうバサーニオさんの宴会では俺たちを待ちかねているんだ。

ジェシカ　戸締まりをして、もっと現金を手にして、
すぐあなたのもとへ行くわ。　〔二階舞台から退場〕

グラシアーノ　まったく、すてきな子だ。ユダヤ人とは思えん。

ロレンゾー　本当に、俺、ぞっこんまいっちまってるんだ。
なにしろ賢い子だ、俺の判断力が正しければ。
それに美人だ、この目に狂いがなければ。
それに一途《いちず》だ、あの子を見てりゃわかるように。
だから、賢くて美人で一途なあの子を、
いつまでもこの心に留《とど》めておきたいんだ。

ジェシカ登場。

ロレンゾー　よう、来たか？　さあ、紳士殿※、行こう！

※　第一・四折本ではgentlemanと単数形になっており、男装したジェシカに向けられた台詞《せりふ》となっている。新ケンブリッジ版が指摘するとおり、第二・四折本と二折本では複数形になっているので、「紳士諸君」と、ジェシカではなく、男友達に呼びかけていることになり、ロレンゾーのジェシカの扱いが冷たくなっている。

仮面をつけた仲間が、とうに俺たちをお待ちかねだ。〔ジェシカとともに〕退場。〔サレーリオとグラシアーノはあとを追おうとする〕

アントーニオ登場。

アントーニオ 誰だ？

グラシアーノ アントーニオさん？

アントーニオ なんだ、おい、グラシアーノ！ みんなはどこだ？ もう九時だぞ。みんな君を待ちかねている。仮装行列は、今晩は中止だ――風が出てきたから、バサーニオは直ちに出航する――。君を捜しに二十人も人を出したところだぞ。

グラシアーノ そりゃよかった。最高に嬉《うれ》しいね、帆かけて今夜出発だ！

全員退場。

ポーシャとモロッコ大公がどちらも従者を従えて登場。※

ポーシャ さあ、カーテンを引いて、こちらの気高い大公に三つの箱をお見せして。さあ、お選びください。

※ロウはここより第二幕第三場としたが、ケイペルの校訂以降、ここより第二幕第七場とするのが慣例。

モロッコ　まずは金だ。こう書いてある。

「我を選ぶ者は、多くの者が望むものを得るべし」

次は銀、こんな約束をしている。

「我を選ぶ者は、己《おのれ》にふさわしいものを得るべし」

三つ目は、ぱっとせぬ鉛。ぶっきらぼうに警告をしている。

「我を選ぶ者は、持てるものすべてを擲《なげう》つべし」

正しい箱を選んだかどうか、どうやったらわかるのですか。

ポーシャ　どれか一つに私の肖像画が入っております。

それをお選びになれば、私はあなたのものです。

モロッコ　どこぞの神よ、わが判断を導きたまえ！　さてと、
書かれた文句をもう一度調べてみよう。

この鉛の箱にはなんと？

「我を選ぶ者は、持てるものすべてを擲つべし」

「擲つ」？　なんのために？　鉛のためにすべてを擲つのか！

この箱は脅すばかりだ――すべてを擲つとすれば、
それなりの見返りを期待してのことだ。

黄金の心は、くずのために膝《ひざ》を屈したりしない。

だから、鉛のために擲ったりするものか。

この純潔の色をした銀にはなんと？

「我を選ぶ者は、己にふさわしいものを得るべし」
己にふさわしいもの——待てよ、そこだぞ、モロッコ、
公平な手でおまえの価値を量ってみろ——
世評から判断すれば、おまえはたいしたものだ。
だが、たいしたと言っても
姫に及ぶほどではないかもしれない。しかし、
自分にふさわしくないのではと思うことは、
自分を貶《おとし》める弱気にすぎぬ。
己にふさわしいもの——それは、姫のことだ。
生まれにおいて姫にふさわしく、財産においても、
品のよさも、生まれの高さも、いや
それよりもなによりも、愛においてふさわしい——。
もはや迷うことなく、これに決めてしまったらどうだろう?
もう一度、金になんと書いてあるのか読んでみよう。
「我を選ぶ者は、多くの者が望むものを得るべし」
それこそ姫だ。全世界が姫を望んでいる。
東西南北世界の果てから、この御堂《みどう》に、
この生ける聖女に、キスしようと人々が来る。
ヒルカニア砂漠※も、見渡す限りのアラビアの

※ カスピ海の南にある砂漠。シェイクスピアにとって、ヒルカニアと言えば、そこに棲《す》む凶暴な獅子《しし》が連想される。

荒野も、今や、美しきポーシャを一目《ひとめ》見ようと
訪れる王侯貴族の通り道となってしまった。
天の顔に唾《つば》するほど野心ある頭をもたげる
大海原も、異国の冒険者を抑えることはできぬ。
皆、続々と、小川でも跨《また》ぐように大海を越えて
美女ポーシャを見にやってくる。
その神々しい絵姿がこの三つのどれか一つに入っている。
鉛に入っていることがあるだろうか。
そんな卑しいことを考えるだけでも罰当たりだ。
そんな黒い墓にポーシャを葬るのは情けない。
それとも銀のなかに閉じ込められているのだろうか。
純金の十分の一の価値しかない銀に？
おお、罪深い考えだ！　これほど豊かな宝石が
金以下の台にはめこまれるなどありえない。
イングランドには天使の姿を刻んだ金貨※がある。
それは表面に彫られているにすぎぬが、
ここでは金の寝床に、そのなかに、天使が眠るのだ。
鍵《かぎ》をください。
これを選びます。わが繁栄をかけて。

※大天使ミカエルを刻んだエンジェル金貨のこと。

ポーシャ　その鍵をどうぞ。私の絵姿がそこにございましたら、
私はあなたのものです。
モロッコ　〔金の箱の鍵を開けて〕なんだ、こりゃ？
腐った髑髏《しゃれこうべ》だ。空洞の目には、
巻いた書付《かきつけ》が入っている。読んでみよう。
光るもの必ずしも金ならず。
そう耳にしたことは何度もあるはず。
わが外面《がいめん》を見つめるあまり、
命売り捨てし者あまたあり。
金で飾られた墓にも蛆虫《うじむし》は湧く。※
そなた、もし、その豪気に見合う賢明さを持ち、
体は若くとも頭脳に齢《よわい》重ねたれば、
かかる答えはせざりしものを。
去れ、そなたの願いは冷めた。
冷め切った。無駄骨だ。
では、さらば、熱い思いよ。冷たい霜よ、来るがいい。
さよなら、ポーシャ！　あまりにも胸の痛手が深すぎて、
くどい別れは耐えられぬ。即座に去ろう、敗れた者は。
〔モロッコ大公とその従者たち〕退場。

※　初版本及び第二・四折本、二折本ともに「金で飾られた板（timber）」となっているが、timberをtombsと読み替えるジョンソン博士の校訂に従うのが慣例となっている。ソネット一〇一番の「金で飾られた墓」及び「マタイ伝」二三・二七の「白く塗りたる墓」と同工か。

ポーシャ　やれやれだわ――カーテンを閉めて。さあ。
ああいう肌の人は皆こういう選び方をしてほしいわ。※1
〔コルネット吹奏〕全員退場。

サレーリオとソラーニオ登場。※2

サレーリオ　だって、この目で見たんだよ、
バサーニオが出航し、グラシアーノが一緒だったけど、
ロレンゾーが船に乗らなかったのは間違いない。
ソラーニオ　あのユダヤの悪党は、大騒ぎをして公爵を叩《たた》き起こし、
公爵もあいつと一緒にバサーニオの船を調べに行った。
サレーリオ　それも手遅れ、船は出ちまった。
だけど、公爵に通報が入った、
ロレンゾーとその恋人のジェシカが
一緒にゴンドラに乗っていたとね。
それに、アントーニオが公爵に請け合った、
二人はバサーニオの船にはいなかったとね。
ソラーニオ　あれほど支離滅裂、
奇妙奇天烈で変幻自在な怒り方ってなかったね。
あのユダヤの犬は通りでこう喚《わめ》いていた。

※1　第一・四折本にある「コルネット吹奏」は誤って次の場の冒頭につけられている。
※2　ロウはここより第二幕第四場としたが、ケイペルの校訂以降、ここより第二幕第八場とするのが慣例。

「娘が！　ああ、私の金が！　おお、娘が！
キリスト教徒と駆け落ちした！　ああ、私のキリスト教徒の金！
裁きを！　法律を！　私の金！　私の娘！
封をしてあった金袋が！　封をした金袋二つも！
二倍の金が入っていたのに！　娘に盗まれた！
宝石も！　宝石二つ！　高価な貴重な宝石二つ！
娘に盗まれた！　裁きを！　娘を捜してくれ！
宝石を持っている！　金も持っている！」

サレーリオ　ヴェニスじゅうの小僧があとを追いかけて、
宝石だ、娘だ、金だとはやしたてた。

ソラーニオ　アントーニオは期限を守ったほうがいいぞ。
さもなきゃ、とばっちりを食うぞ。

サレーリオ　それで思い出した――。
昨日《きのう》、あるフランス人と話をしたんだが、
フランスとイングランドのあいだの狭い海峡で、
積荷を満載したわが国の船が、
難破したという。その話を聞いて
アントーニオのことを思い出し、
あの人の船でなければいいがと密かに祈ったんだ。

ソラーニオ　その話、アントーニオに伝えたほうがいいぞ。
でも出し抜けにしないほうがいい。心配するだろうから。
サレーリオ　あれほど親切な紳士はいないもんなあ――。
バサーニオとアントーニオが別れるのを見ていたけど、
バサーニオができるだけ急いで帰ってくると言うと、
こう答えたんだ。「それはいけない。
私のために、大事なことをいい加減にしないでくれ、
時が熟すまで待つがいい。
ユダヤ人に渡したあの証文のことは
恋する君が気に留めてはいけない。
陽気にやって、なによりもまず
求婚のことを考えてくれ。君にふさわしい
美しい愛の飾りを身につけたまえ」
そう言うと、アントーニオは、目に涙を一杯ためて
顔をそむけ、うしろ手に手を差し出して、
驚くほど鋭敏な愛情でもって
バサーニオの手を握り、そして別れたんだ。
ソラーニオ　バサーニオだけが唯一の生きがいなんだ。
一緒にアントーニオを捜しに行かないか。

あの人が抱え込んでいる重たい気分を
なにかの気晴らしで発散させてやろう。
サレーリオ　そうしよう。
退場。

ネリッサと召使登場。[※1]

ネリッサ　急いで、急いで、すぐカーテンを引くのよ。
アラゴン[※2]大公が、今お誓いを立てられた。
すぐに箱選びにいらっしゃるわ。

アラゴン〔大公〕、その従者たち、ポーシャ登場。

ポーシャ　ご覧ください。そちらに箱がございます。
私が入っている箱をお選びになれば、
直ちに私たちの婚礼の式を挙げましょう。
でも、もしお間違いになれば、なにもおっしゃらずに
すぐここをお立ち退き頂かなければなりません。
アラゴン　三つのことを守ると誓いを立てました。
まず、私が選んだ箱のことを
誰にも漏らさぬこと。次に、正しい箱を

※1　ロウはここより第二幕第五場としたが、ケイペルの校訂以降、ここより第二幕第九場とするのが慣例。
※2　アラゴンは、十一～十五世紀にスペイン北東部に存在した王国。

選び損ねたときは、生涯決して
女性に結婚を申し込まぬこと。そして最後に、
不幸にして選択を誤ったならば、
直ちにお別れして立ち去るということ。

ポーシャ　ふつつかな私のために冒険なさろうという方には
どなたにもその誓いを立てて頂いております。

アラゴン　そうして、準備は整いました。――さあ、
わが胸の希望に幸運あれ！――金、銀、そして卑しい鉛。
「我を選ぶ者は、持てるものすべてを擲《なげう》つべし」
擲つなら、もっとすてきな様子をしていてほしいな。
金の箱にはなんと？　なになに、
「我を選ぶ者は、多くの者が望むものを得るべし」
多くの者が望むもの――その「多く」というのは、
外見で選ぶ愚かな大衆のことかもしれん、
愚かしい目に頼って、それ以上のことを学ぼうとしない。
内面を探ることなく、岩燕《いわつばめ》のように※
風雨にさらされた外壁に巣をつくり、
行き当たりばったりの人生を送る。
多くの者が望むものは選ぶまい。

※岩燕は、『マクベス』第一幕第六場で、外見に騙《だま》されるダンカン王らによって話題にされる。

ありきたりの連中と心を一《いつ》にし、
無知蒙昧《もうまい》な大衆と肩を並べたくはない。
となれば、おまえだ、銀の宝箱よ、
おまえがどんな題目をつけているか、もう一度聞かせてくれ。
「我を選ぶ者は、己《おのれ》にふさわしいものを得るべし」
なるほど。運命の女神を出し抜いて
名誉を勝ち得る者は皆
それなりの長所があるからだ。分不相応に
偉そうにしてはならぬ。
ああ、身分も、爵位も、官職も、
不正に手に入れられることがなく、本人の長所によって
潔白なる名誉を得てもらいたいものだ。そうなれば、
今帽子を脱いでお辞儀をする者の何人がお辞儀をされる側となり、
今命令している者の何人が命令される側となるだろう。
そうなれば、真の名誉ある座から、どれほどの下劣な連中が
選び捨てられることか！　また、当世の籾殻《もみがら》や瓦礫《がれき》のなかから
どれほどの名誉が選び出されて、
新たな栄光を与えられることか！　だが、箱選びに戻ろう。
「我を選ぶ者は、己にふさわしいものを得るべし」

私はふさわしい者だと思おう。この箱の鍵《かぎ》をください。

〔アラゴンは銀の箱を開ける〕

そして直ちにわが運命を開いてみよう。

ポーシャ　随分考えたわね、そんなものを見つけるのに。

アラゴン　なんだ、これは？　片目をつぶった阿呆《あほう》が

巻物を広げて見せている絵だ。読んでみよう。だが、

ポーシャとは似ても似つかぬ。

わが望みとは似ても似つかぬ。

「我を選ぶ者は、己にふさわしいものを得るべし」

私にふさわしいのは阿呆の首でしかないのか？

それが報酬か？　私はもう少しましではないのか？

ポーシャ　過ちを犯すのと裁くのとは、別の立場、

どちらも兼ねることはなりません。

アラゴン　これはなんだ？

〔読む〕炎は七度《ななたび》この銀を鍛えり。

分別も七度鍛えられれば、

選びそこなうこともなし。

影法師にキスする者あれど、

得るは儚《はかな》き影の幸せ。

銀のめっきで身を飾る阿呆あり、

それ即ちこれなり。
いかなる妻を娶《めと》らんとも、
そなたの頭は阿呆の頭。
ゆえに去れ、そなたは敗れたり。
ここに居れば居るほど、
阿呆に見えよう。
求婚に来たときは、阿呆の頭一つだったが、
帰るときには二つになった。
さようなら！　誓いは守ります。
じっと悲しい独り身を守ります。〔退場〕
ポーシャ　飛んで火に入《い》る虫がやけどをしたわ。
阿呆のくせに理屈をこねて！
選びそこなう知恵しかないのに。
ネリッサ　昔からある諺《ことわざ》は嘘じゃありませんね。
首くくられるのも妻娶《めと》るのも、どちらも同じ、運次第と。
ポーシャ　さあ、カーテンを閉めて、ネリッサ。
使者登場。
使者　お嬢様はいずこ？

ポーシャ　はい、お殿様、なんの御用でしょう？※

使者　お嬢様、只今、門のところに
ヴェニスの若者が到着致しました。
ご主人のご到着を告げる先触れで、
手に取れるご挨拶《あいさつ》を携えております。
すなわち、丁重なるお言葉に添えた
高価な贈り物です。それにしても
これほど恋の使いにふさわしい者を見たことがありません。
豊かな夏の訪れを告げる春四月の香《かぐわ》しさと雖《いえど》も、
ご主人より一足先に現われたこの爽《さわ》やかなる若者には
遥《はる》かに及びません。

ポーシャ　もうおよし。その調子だと、
それがおまえの身内だとか言いかねない。
そんなよそ行きの言葉を使って褒《ほ》めちぎったりして。
さあ、行きましょう、ネリッサ。そんなに立派な
キューピッドのお使いなら、早く会ってみたいわ。

ネリッサ　バサーニオ様だわ。恋の神様、そうでありますよう！

全員退場。

※　ポーシャが使者を「お殿様」と呼ぶのは、使者の「お嬢様」に応《こた》えてふざけているという説や、亭主候補のことが頭から離れないので口がすべったなど諸説ある。アラゴンが退場した途端、ポーシャが澄ました態度を豹変《ひょうへん》させて、ネリッサと大笑いをするのであれば、アラゴンが戻ってきたと勘違いして慌てて先ほどの演技に戻るとも考えられる。その場合、使者は最初の台詞を舞台奥で立派な声で言い、実際に登場するのは次の台詞からということになる。登場を指定するト書きの位置のずれは当時の戯曲には珍しくない。また、ポーシャの演技性を強調することは、のちの場面と呼応する。

ソラーニオとサレーリオ登場※1。

ソラーニオ　おい、取引所ではどんな知らせがある?

サレーリオ　相変わらず、例の噂でもちきりだ。積荷を満載したアントーニオの船が海峡で遭難したという。なんでもグッドウィン※2とかいう、恐ろしく危険な浅瀬で、豪華な船の残骸《ざんがい》がたくさん埋まっているらしい。噂というおしゃべり婆さんが嘘をつかない正直者ならね。

ソラーニオ　その点じゃ、嘘つき婆さんであってほしいね、生姜《しょうが》をもぐもぐやって、三度目の亭主に死なれて泣いていますと隣近所を騙《だま》すような——でも、本当なんだ。くだくだと回りくどい話はなしにして、すぱっと言えば、善良なアントーニオは、正直なアントーニオは——ああ、あの人を表わすにふさわしい言い方が見つからないなあ——。

サレーリオ　さ、終わりまで言っちまえよ。

ソラーニオ　え、なんだって?　ああ、終わりだよ、あの人は船を一艘《そう》失《な》くしちまったんだから。

サレーリオ　それが災難の終わりだといいがな。

ソラーニオ　すぐに「アーメン」と言っておこう。悪魔がその祈り

※1　二折本には、このト書きの前に「第三幕」と記されている。ロウの校訂以降、ここより第三幕第一場とするのが慣例。

※2　イングランド東南のケント州東海岸沖にあるグッドウィン砂《さ》洲《す》は、船の難所として知られていた。

をひっくりかえすといけないからな。だって、ほら、ユダヤ人の姿を借りてあそこにやってきたぞ。

シャイロック登場。

ソラーニオ おや、シャイロック！ 商人仲間でなにかニュースはあるかい？

シャイロック あんたら、知ってたんだな、誰よりもあんたらが一番よく、私の娘が逃げたことを。

サレーリオ そりゃそうだ——俺なんか、娘さんが逃げるときにつけた翼を誂《あつら》えた仕立て屋だって知ってらあ。

ソラーニオ シャイロックだって、鳥に羽が生えそろっていたことは知ってたはずだ。とすりゃあ、母鳥のもとを飛び立ったのも腑《ふ》に落ちるね。

シャイロック そして娘は地獄に堕《お》ちる。

サレーリオ なるほど——悪魔が娘さんの裁判官ならね。

シャイロック 私の血肉がむらむらと謀反気《むほんぎ》を起こすとは！

ソラーニオ ふざけんなよ、老いぼれめ！ その年でまだむらむらするのか？

シャイロック 血肉と言ったのは娘のことだ。

サレーリオ おまえの肉と娘さんじゃ随分違うぜ、黒玉と象牙《ぞうげ》どころじゃない。血だって、赤ワインと白ワイン以上に違うね。でも、聞いてるか、アントーニオが海で船を失くしたとか失くさないとか？

シャイロック　そいつもひどい話だ。破産者め、放蕩者《ほうとうもの》め、前はめかしこんで市場にやってきていたのに、乞食《こじき》め、もう顔出しできやしない。証文を忘れるな！　私を高利貸しだと呼びやがって。証文を忘れるな！　キリスト教徒の慈愛とかで金を貸しやがって。証文を忘れるな！

サレーリオ　まさか、違約をしたからって、あの人の肉を取ろうって言うんじゃないだろうな。そんなことして、なんになる？

シャイロック　魚釣りの餌になる。腹の足しにならなくても、腹いせの足しになる。あいつは私を侮辱し、五十万もの儲《もう》けの邪魔をし、こちらが損をすれば笑い、得をすれば嘲《あざけ》り、ユダヤ民族を軽蔑《けいべつ》し、取引を台無しにし、こっちの味方には我慢させ、敵を焚《た》き付けた――それもなんのためだ？　私がユダヤ人だからだ。ユダヤ人には目がないのか？　手がないのか。内臓が、手足が、感覚が、愛情が、喜怒哀楽がないとでもいうのか？　キリスト教徒とどこが違う？　同じ食い物を食い、同じ武器で傷つき、同じ病気に罹《かか》り、同じ薬で治り、冬も夏も同じように暑がったり寒がったりするじゃないか？　針でついたら血が出よう？　くすぐられたら笑いもしよう？　毒を盛られたら、死んじまう。ひどい目にあわされたら、復讐《ふくしゅう》する――ほかが同《おな》じなら、やっぱりそこんとこも同《おんな》じだ――キリスト教徒はユダヤ人にひどい目にあわされたら、どんな耐え忍び方をする？　復讐だ！　ユダヤ人は、キリスト教徒にひどい目にあわされたら、キリスト教徒をみならって、どう耐えればいい？　そりゃあ、復讐だ！　あんたがたに教わった非道をやってみせようじゃないか。どんなことがあっても、教わった以上にやってみせてやる。

アントーニオの従者登場。

従者　主人のアントーニオが自宅でお二人にお目にかかりたいと申しております。

サレーリオ　こちらもあちこち捜し回っていたところだ。

テューバル登場。

サレーリオ　もう一人ユダヤ人がやってきた。三人目には悪魔本人がユダヤ人に化けて出てくるかもしれんぞ。

紳士たち〔、召使とともに〕退場。

シャイロック　これは、テューバル！　ジェノヴァからはどんな知らせだ？　娘は見つけてくれたか？

テューバル　あちこちで娘さんの噂は聞くのだが、見つけられん。

シャイロック　ああ、ほら、ほら、ほら、ほら！　フランクフルトで二千ダカットもしたダイアモンドがぱあだ。――こんな呪いがユダヤ民族に降りかかったことはない、今の今まで感じたことはない！　それだけで二千ダカット、しかもほかにも、貴重な、貴重な宝石がある。娘など、この足元でくたばっちまうがいい、耳に宝石を残してな。この足元で棺《かん》おけに収まればいい、棺《ひつぎ》に金が入っていてくれれば。――なんの手がかりもないのか？　まったく！　捜索費用にどれほどかかったかわからん。おまえは――損失に次ぐ損失だ！　泥棒にたんまりもっていかれて、泥棒を見つけるのにたんまりかかり、なんの満足も得られず、復讐もで

私ばかりだ。

きない。不運といえば、必ずこの肩にのしかかり、溜息《ためいき》をつくのは私ばかり、涙を流すのは私ばかりだ。

テューバル　いや、不運に見舞われたのはほかにもいる。アントーニオだって、ジェノヴァで聞いたところでは――

シャイロック　なに、なに、なに？　不運か、不運か？

テューバル　トリポリから帰ってくる貨物船が難破した。

シャイロック　やったぞ、やったぞ！　本当か、本当か？

テューバル　その遭難から命からがら助かった船乗りと話をしたんだ。

シャイロック　ありがとう、テューバル、いい知らせだ、いい知らせだ。はは！　ジェノヴァで聞いたか！

テューバル　ジェノヴァで娘さんは、一晩で八十ダカット使ったそうだ。

シャイロック　この胸が短剣で刺されるようだ。もうあの金は戻らない。八十ダカットだと！一度に八十ダカットも！

テューバル　アントーニオに金を貸した連中と一緒にヴェニスに戻ってきたが、アントーニオは絶対破産だと皆断言していた。

シャイロック　そいつは嬉《うれ》しい――あいつを苦しめてやる、責めさいなんでやる――そいつは嬉しい。

テューバル　そのうちの一人が見せてくれた指輪は、あんたの娘さんから猿一匹と交換でもらったそうだ。

シャイロック　なんてこった！　私を苦しめないでくれ、テューバル——それは私のトルコ石だ。結婚前にリア※1からもらったんだ。荒野を見渡す限りの猿の群れと交換すると言われても手放せないものなのに。

テューバル　でも、アントーニオは間違いなくおしまいだ。

シャイロック　ああ、そのとおりだ、そのとおりだ。——さあ、テューバル、役人に金を渡して、二週間前から話をつけておいてくれ。——あいつが違約したら、心臓をもらってやる。あいつがヴェニスからいなくなってくれたら、好きなように商売ができるからな。行ってくれ、テューバル、ユダヤの礼拝堂で会おう——さ、テューバル、シナゴーグ※2でな、テューバル。

全員退場。

バサーニオ、ポーシャ、グラシアーノ、〔ネリッサ、〕そしてそれぞれの従者たちすべて登場※3。

ポーシャ　どうかお待ちになって、一日か二日。箱選びはそれからに。だって、選び損ねたら一緒にいられなくなってしまうもの。だから、しばらく待って。なんだか私——別に恋しているんじゃなくてよ、

※1　シャイロックの亡き妻。シャイロックはよくヤコブを引き合いに出すが、ヤコブの妻の名でもある。

※2　ユダヤ教の礼拝堂。

※3　ロウの校訂以降、ここより第三幕第二場とするのが慣例。

あなたを失いたくないの。あなただってお解りでしょう、
嫌いで私がこんなこと、申し上げるはずがないと。
でも、誤解されると困るので――
そのくせ、娘心は思うばかりで舌がないけれど――
ひと月か二月《ふたつき》こちらへお泊まりになってから
箱選びをなさいましな。正しい選び方を
教えて差し上げたいのだけれど、誓いをしているので、
できません――だから、私を選び損ねるかもしれない――
でもそうしたら、私、誓いを破ればよかったなんて
罪深いことを思うわ。いやだわ、あなたのその目、
私を虜《とりこ》にして、まっぷたつにしてしまった。
半分はあなたのもの、もう半分も
あなたのもの――。私のものと言おうとしたのに。でも、
私のものだったら、あなたのものだから、皆あなたのもの。
ああ、いやな時代だわ、所有者からその権利を奪うなんて!
だから、あなたのものなのに、あなたのものではない。
そんなことになったら地獄に堕ちるのは運命の女神、私じゃない。
おしゃべりがすぎました。でもそれは、
時間をかせいで長引かせ、できるかぎり

バサーニオ　あなたの箱選びを遅らせたい一心ゆえ。　選ばせてください。
このままでは拷問です。
ポーシャ　拷問ですって、バサーニオ？　じゃあ、
あなたの愛にどんな二心が混ざっているのか白状なさい。
バサーニオ　二心とは言っても、あなたの愛を得られないのでは
という不安を抱かせる醜い疑心暗鬼があるばかりです。
わが愛に二心があれば、雪と火が
仲良く手を握ることになりましょう。
ポーシャ　ええ、でも、あなた、拷問台にいらっしゃるなら、
命欲しさに口からでまかせをおっしゃっているのではなくて？
バサーニオ　命を救ってくださるなら、真実を白状します。
ポーシャ　では、白状して、生きなさい。
バサーニオ　白状すれば、愛しています
というのがぼくの白状のすべてです。
ああ、楽しい拷問だ。責めさいなむ人が、
命の助かる答えを教えてくれるのだから！
でも、箱選びで運を試させてください。
ポーシャ　ではあちらへ！　私はどれか一つに

閉じ込められている。愛しているなら、捜し出して。
ネリッサや皆の者は、離れておいで※1。
あの方がお選びになるあいだ、音楽を奏でなさい。
そうしたら、失敗しても、白鳥の最期のように
音楽のなかで消えていくことになる。その喩《たと》えを
もっとそれらしくするために、この目から涙の川を流し、
あの方の死に場所にしましょう。——勝利なさったら、
音楽はどうなるかしら？　そうしたら音楽は、
新たに王冠を戴《いただ》く君主に忠実な家来が頭を下げるときの
ファンファーレとなりましょう。それはちょうど、
婚礼の日に夢見る花婿の耳に忍び込み
式へと誘い出す、あの曙《あけぼの》の
甘い調べ。お進みになるわ。
トロイア王が号泣しつつ※2
海の怪物に捧げた生贄《いけにえ》の処女を
取り返してみせた若いヘラクレスのような凛々《りり》しいお姿、
でも愛情はそれに勝る。私は生贄。
離れて立つ者たちは、トロイアの女たち。
泣き濡《ぬ》れた顔で、勝負の成り行きを

※1　旧ケンブリッジ版の注釈では、aloofを「上に」と解釈し、ネリッサたちは楽隊のいる二階舞台へ上がるとしたが、オックスフォード版や新ケンブリッジ版の指摘どおり、aloofは「離れて」ととるべきであろう。

※2　ギリシア神話より。トロイア王ラーオメドーンがトロイアの城壁を築く際、海神ポセイドーンに約束の報酬を与えなかったため、怒った海神は怪物を送り込んだ。王は、海神の怒りを解くために王女ヘーシオネーを海辺の岩に縛り、生贄としたが、英雄ヘラクレスが怪物を退治して王女を救った。英雄は王女の愛を求めなかったのでバサーニオの愛情が「勝る」。

見守っている。しっかり、ヘラクレス！
あなたが死ななければ、私も死なない。戦うあなたより
戦を見守る私のほうが、ずっとずっとつらい。

バサーニオが箱をひとりで吟味しているあいだ、歌。

〔歌〕浮いた心はどこに住む？
心のなかか、頭のなかか、
どうして生まれ、どうして育つ？　答えて、答えて。※
浮いた心は目に宿る。
見つめて育つが、やがて死ぬ、
生まれ育った揺り籠《かご》で。
浮いた心の弔いに
鐘を撞《つ》きましょ、
ディン、ドン、ベル。

全員　ディン、ドン、ベル。

バサーニオ　なるほど、外見は内実を写しはしない――。
世間はいつも見せかけに騙《だま》される――。
法廷では、どんな穢《けが》れて腐りきった訴えでも、
品のよい声で味付けをされると、

※「答えて、答えて」だけが、歌と離れて印刷されている（第一、第二・四折本、二折本とも）。ポープの校訂に従って歌のなかに組み込んでしまう編者が多いが、W・J・ローレンスは、これは全員で歌うリフレイン（繰り返し）ではないかと示唆する。ポーシャの台詞《せりふ》の流れのなかに置かれているので、ポーシャの台詞とも考えられる。

罪悪がぼやけて見えてこない。宗教でも、
どんなおぞましい間違いをしても、まじめな顔で
祝福をし、説教をしてそれを認めれば、
美しい飾りで忌まわしさを隠してしまう。
どんなつまらない悪でも、
外面を少しは取り繕うものだ。
空中楼閣のように実《じつ》のない心を持った臆病者《おくびょうもの》は、
頤《あご》にヘラクレスのような立派な鬚《ひげ》を生やし、
軍神マルスのようにいかめしい顔をしていても、
腹を探れば、ミルクのような白い肝をしているものだ。
それが、勇敢そうな鬚など生やしているから、
尊敬されてしまう。美人もそうだ、
美というものは目方で売買ができる。
白粉《おしろい》を塗るだけで、持って生まれた顔が変わり、
重く塗るほど軽い女ができるという不思議が起こる。
美人と思われている女の肩の上で
蛇のように縮れた黄金の巻き毛、
風に戯れてみだらに波打つ金髪も、
ときに、別の頭が遺《のこ》した遺産であり、

それを生やしていた頭は髑髏《どくろ》となって墓のなかに眠るのだ。
となれば、装飾とは、実に危ない海原《うなばら》へ人を誘《おび》き寄せる
浜辺だ。インド美人が顔を覆う
美しいヴェールだ。つまり、抜け目ない世間が身につける
うわべだけの真実だ。どんな賢者も騙される。
それゆえ、絢爛《けんらん》豪華な黄金よ、
ミダース王※の硬い食べ物よ、おまえに用はない。
また、おまえも要らぬ、人と人とのあいだの
使い走りをする青ざめた銀よ。だが、みすぼらしい鉛よ、
なにかを期待させるよりは脅しているおまえ、
その素朴さが、雄弁さよりも、この心を打つ。
これを選ぼう——結果が喜ばしいものでありますように！

ポーシャ　〔傍白〕要らぬ思いがすべて宙に消えていく。
疑いも、気のせいた絶望も、
肩を震わす怯《おび》えも、緑の目をした嫉妬《しっと》も。
ああ、恋よ、落ち着いて。のぼせてはだめ。
歓喜の雨をほどよく降らせて、一気にではなく！
あまりに大きなこの祝福、もう少し抑えて。
この胸がつぶれないよう。

※　英語発音はマイダス。ギリシア神話中のフリギアの王。手に触れるものを何でも金に変える力を山の精シーレーノスから与えられたが、食べ物も金に変わってしまって後悔し、ディオニュソスに救いを求めた。
なお、童話「王様の耳はロバの耳」の王様でもある。

バサーニオ　これはなんだろう？
美しいポーシャの絵姿だ！　こんなに実物そっくりとは、
これを描いた画家は神か人か。　この目は動くのか。
あるいは、わが瞳《ひとみ》に映って、動いているように
見えるだけか？　軽く開いたこの唇、
甘い息が通っている——そんなすてきな息だから、
こんなすてきな二つの唇の仲を引き裂ける。
この髪の毛——画家がそのまま蜘蛛《くも》になり、
金の糸を紡ぎ、男心を捕らえようというのか、
蜘蛛の巣が羽虫を捕らえるよりもしっかりと。　でも、この目！
どうしてこんな目が、見つめながら描《か》けるのだろう？
片方を描いたら、その片目が画家の両の目をつぶしてしまい、
もう一方を描けなかったろうに。　しかし、どんなに賞賛して
褒《ほ》め言葉に実をこめても、この絵という虚を褒めきれぬように、
この絵という虚像は、その本体である実像のすばらしさには
遠く及ばぬ。　ここに巻物がある。
わが運命の総決算だ。
〔読む〕外見で選ばぬ者は
運に恵まれ、真実を選ぶ。

　この幸運を受けた以上、
満足し、新しきを求むるな。
　この結果をよしとするなら、
己の運命を至福と思い、
　愛する人のもとへ歩み、
　　愛の口づけにて妻たるを求めよ。
優しい巻紙だ。美しいポーシャ、お許しを、
この文面にあるとおり、差し上げて、受け取ります。※1
まるで賞を獲ようと争った競技者の気分だ。
自分ではうまくやったつもりだが、
拍手や喝采《かっさい》を耳にすると、頭がふらついて
今の賞賛は自分のものなのかと
わからないまま茫然《ぼうぜん》と立ちすくむ。
美しいポーシャ、今のぼくがまさにそうです。
今目にしているのが現実なのかわからない。
君が確かだと署名して太鼓判を捺《お》してくれるまでは。※2

ポーシャ　ここにいる私は、バサーニオ様、このとおり
ご覧のとおりの女。私だけのためならば、
もっとよい女になりたいなどという

※1　クラレンドン版（一八六九年）の注釈どおり、キスを与えて、妻としてポーシャを受け取るという意味。キスをして、ポーシャからお返しのキスを受け取るという演出もある。
　ここでキスをして、一同に喝采されるなか、観衆の歓呼についての台詞が続くのが自然だが、「ポーシャから太鼓判を捺してもらう」のがキスだという説もある。さらにキスをもっとあとにする演出もないわけではない。

　なお、「この文面にあるとおり」（by note）は「この約束手形にあるとおり」とも読め、シャイロックの証文の話と呼応する。
※2　この表現も、シャイロックの証文と関連性を持っている。

野望を抱きませんが、あなたのためなら
六十倍もよくなりたい、
一千倍も美しく、一万倍も富んでいたい、
あなたによく思われたい一心で、
美徳も、美貌《びぼう》も、収入も、友人も、
計りきれないほど立派にしたい。でも、私のすべてを
かき集めても大したものにはなりません。
世間知らずで、教養もなく、経験もない。
それでも幸せなことに、年をとりすぎて
学べないわけではなく、もっと幸せなことに
学んでもものにならぬほど愚かな生まれつきでもなく、
何よりも幸せなことに、
殿様、ご領主様、王様に従うように、あなたの指図に従い、※
すべてを捧げる従順さを持っております。
私と私のものは、今からもう
あなたとあなたのもの。たった今まで私は、
この美しいお屋敷の主《あるじ》であり、召使たちの主人であり、
自らを律する女王でした。でも、今、たった今、
この家も、召使も、私自身も、あなたのもの

※『じゃじゃ馬馴《な》らし』のキャタリーナも幕切れに似たようなことを言う。これは、新約聖書「エペソ人への書」五・二二の「妻たる者よ、主に服《したが》ふごとく己の夫に服へ」に基づくエリザベス朝人の考え方なのだとされる。

——わがご主人様のもの！　なにもかも差し上げます、
この指輪とともに。外《はず》したり、なくしたり、捨てたりしたら、
あなたの愛が燃え尽きたしるし。
きっとお恨み申します。

バサーニオ　そう言われると、ぼくはもう、なにも言えない。
ただこの体に脈打ち沸き立つ血潮が君に答えるばかりだ。
もう、なにがなにやら、わからなくなってしまった。
まるで、人望の厚い国王の名演説のあとで、
喜んだ大衆がぶつぶつ話し出し、
あちこちでなにかが話されているのに、
皆一緒くたになって、わけのわからぬ
ざわめきとなるように。喜びは表われているのだが、
表わされてはいないのだ。ともかく、この指輪が
この指から外れるときは、この身から命が消えるとき。
そのときは断言してください、バサーニオは死んだのだと。

ネリッサ　ご主人様、お嬢様、そろそろ
脇で控えて、ご首尾をお祈りしながら見ておりました私どもが
お祝いを申し上げてもよい潮時。おめでとうございます。

グラシアーノ　バサーニオ様、そしてお優しいお嬢様、

お二人が望みうる限りのお喜びが訪れますよう。
お二人がどんなに望んでも、こちらの喜びは減りませんので。
お二人がその愛の取り決めを神聖な儀式で執り行われるとき、どうかひとつ、
こちらも一緒に結婚をさせてください。

バサーニオ　そりゃあいい。女房の心当たりがあるのならね。

グラシアーノ　ありがたいことに、旦那《だんな》のおかげで、あるんです。
目が早いことにかけちゃ、こちらも負けません。
旦那は奥様を見た。俺は侍女※を見た。
旦那は恋をした。俺も恋をした。
気の早いのは旦那も俺も同じこと。
旦那の運命はその箱選びにかかっていた。
そして俺の運命も実は同じ。
というのも、ここで汗の出るほど求愛し、
口の天井が干上がるほどの誓いを立てて、
とうとうついに――とうに約束が潰《つい》えていなけりゃ――
ここにいるこの美女から約束してもらいました。
旦那が幸運にも奥様を勝ち得るなら、
俺もこの人の愛をものにできると。

※　waiting - gentle - woman　小間使いやメイドではなく、貴族の子女であり、紳士と結婚するのがふさわしい。『十二夜』の侍女マライアが女主人の叔父《おじ》の騎士と結婚するのと似る。

ポーシャ　本当なの、ネリッサ？
ネリッサ　はい、お嬢様、御意《ぎょい》に叶《かな》いますれば。
バサーニオ　それで、グラシアーノは本気なのかい？
グラシアーノ　ええ、本気も本気。
バサーニオ　君たちの結婚も加われば、祝宴は一層栄えよう。
グラシアーノ　賭《か》けませんか、先に息子を産むほうに一千ダカット。
ネリッサ　それは、たってのお願い？
グラシアーノ　いや、ムスコが立たんと、勝負にならんぞ。
　おや、誰か来たぞ。ロレンゾーと小悪魔だ！
　なんと、それにわがヴェニスの旧友サレーリオも？

ロレンゾー、ジェシカ、そしてヴェニスからの使者としてサレーリオ登場。

バサーニオ　ロレンゾーにサレーリオ、ようこそここへ。
　まだここの主人になりたてのぼくに、
　ようこそと言う資格があればの話だが。すてきなポーシャ、
　君の許しを得て、ぼくのふるさとの親友たちを
　歓迎させてもらうよ。
ポーシャ　私も歓迎しましょう、
　皆様、よくいらっしゃいました。

ロレンゾー　ありがとうございます、閣下。私としましては、
閣下にお逢《あ》いできるとは思っていなかったのですが、
途中でサレーリオと出会い、
どう断ろうとも、是非にと説き伏せられ、
こちらへ伺うことになりました。
サレーリオ　そのとおりです、
それにはわけがあります――〔手紙を渡しながら〕アントーニオさんから
よろしくとのことです。
バサーニオ　封を切る前に、
あの人はどんな様子か教えてくれないか。
サレーリオ　病気ではありません。気に病んではいますが。
といって元気でもありません。気は張っているのですが。
そのお手紙が委細を明らかにしてくれましょう。
〔バサーニオは〕手紙を開く。
グラシアーノ　ネリッサ、あそこの女性の客人を元気づけ、
歓迎してくれ。握手だ、サレーリオ――ヴェニスはどうだ？
商人の王様アントーニオはどうしている？
さだめし俺たちの成功を喜んでくれるだろうなあ。

俺たちは英雄イアーソーンだ。お宝を勝ち取ったんだ。

サレーリオ　それが、あの人が失《な》くしたお宝※だったらなあ。

ポーシャ　あの手紙、なにか不吉なことが書いてあるらしい、
バサーニオの頬からみるみる血の気が引いていく。
大切なお友達が亡くなったんだわ。そうでもなければ、
沈着冷静なあの方の心身をああまで乱すことはない。
ああ、ますます真っ青になっていくなんて？
ねえ、バサーニオ、私はあなたの半身です。
この手紙に書いてあることを
半分は教えてもらわなくちゃいけないわ。

バサーニオ　　　　ああ、すてきなポーシャ、
これまで書きつけられた言葉のなかで
最も不快な言葉がこの紙を汚《よご》しているんだ。優しい人、
初めて君に愛を打ち明けたとき、
ぼくの全財産は、この体に流れる血だけだと言った。
――紳士の家柄に生まれた血だ。
それは確かにそのとおりだったのだが、しかし、
この身を無一文と言ったとき、
なんという大言壮語をしていたことか――

※　fleece「黄金の羊毛」(16頁参照)という意味でグラシアーノが言ったのに対して、サレーリオは「船団」(fleets)の意味で受けているという説がある。ここは「お宝」としてだいたいの意味を通した。

ぼくの財産はゼロだと言ったとき、本当は
ゼロ以下だと言わなければいけなかったんだ。
というのも、この身は親友に預けた身であり、
親友はぼくに資金を融通するため、敵にその身を
預けたからだ。ここに手紙がある。
その紙はいわばわが友の体。
書かれた言葉一つ一つが口をあけた傷口となって
命の血潮を噴き出している。でも、本当か、サレーリオ、
あの人のすべての船がだめになったのか？　一艘《そう》も？
トリポリのも、メキシコのも、イングランドのも、
リスボンのも、バーバリーのも、インドのも、
商人を消沈させる暗礁《あんしょう》の魔の手から
一艘も逃れることができなかったのか？

サレーリオ　一艘もです、閣下。
それに、たぶん、かりにあの方に
借金を返済する現金があったとしても
あのユダヤ人は受け取らなかったと思われます。あんな
人間の姿をしていながら、人間を破滅させようと
虎視《こし》眈々《たんたん》としている貪欲《どんよく》なやつは聞いたこともありません。

朝に夕に公爵様にせがみ、
裁判を起こさせないというなら、
この国に自由はないと訴えます。二十人からの商人連中、
公爵ご本人、それにヴェニスきってのお偉方たちが
そろってあれを宥《なだ》めようとしたのですが、
どうあっても罰則だ、裁きだ、証文だと
執念深い訴えを取り下げようとはしないのです。

ジェシカ　私がまだ家におりましたとき、父はよく
ユダヤ人仲間のテューバルやチューズに
断言しておりました。貸した金の二十倍の金額を
受け取るよりも、アントーニオの肉が
ほしいと。ですから、もし
法律でも権威でも権力でも抑えられぬとなれば、
哀れ、アントーニオ様は憂き目を見ることになります。

ポーシャ　そのようにお困りなのは、あなたの親友なのね？

バサーニオ　一番の親友だ。最高に気立てがよい男で、
誰よりも立派で、礼儀を尽くすのに
倦《う》み疲れることを知らぬ男だ。
名誉を重んじる古代ローマの精神が似合うことにかけては、

イタリア広しと雖《いえど》も、右に出る者はいない。

ポーシャ　そのユダヤ人に借りた金額は？

バサーニオ　ぼくのために三千ダカット。

ポーシャ　え、それだけ？

六千払って、証文を無効になさいな。

六千の倍をさらに三倍にしてもいいわ。

そんな立派なお友達が

あなたのせいで髪の毛一本だって失ってはいけない。

まず、教会へ連れて行って。私を妻と呼んでください。

それからヴェニスのお友達のところへお行きなさい。

落ち着かぬ心を抱いたまま、ポーシャの枕に

いらして頂くわけにはまいりません。そんなつまらない借金、

二十倍にして返すだけのお金を差し上げます。

支払いが終わったら、ご親友をこちらへお連れして。

侍女のネリッサと私は、そのあいだ、

夫を失くした処女として暮らしましょう。さあ、行きましょう。

結婚式のその日にご出立なさるのですから急がなくちゃ。

皆さんをおもてなしして、明るくふるまってね。

戦いに勝ったあなたは、私が高い値で買った高嶺《たかね》の宝、

大切にするわ。でも、まずお友達の手紙を聞かせて頂戴《ちょうだい》。

バサーニオ　〔読む〕[※1]「バサーニオ、私の船はすべて難破した。債権者たちは冷たくなり、かなり厳しい状況となった。ユダヤ人への証文は期限切れとなり、その抵当を払うとなると生きてはいられぬだろうから、君と私とのあいだの貸し借りは一切消える。ただ死ぬ前に君に一目会いたいと思うのみだ。とは言い条、無理をしてくれるな。友情ゆえに駆けつけてくれるならまだしも、この手紙で君を呼びつけたくはない」

ポーシャ　まあ、あなた！　早く用を済ませてお出になって！

バサーニオ　外出のお許しをもらったから、急いで行くとしよう。だが、帰ってくるまでこの身を横たえるのはおあずけだ。休息など入り込ませまい、ぼくらのあいだに。

全員退場。

[※2]ユダヤ人〔シャイロック〕、ソラーニオ、アントーニオと看守登場。

ユダヤ人[※3]　看守、こいつには気をつけろ。お慈悲の話はまっぴらだ——金をただで貸しやがる阿呆《あほう》めが。

※1　第一、第二・四折本、二折本のいずれにおいても、ここに話者指定はないが、ロウの校訂以降、バサーニオの台詞《せりふ》とされている。

※2　ロウの校訂以降、ここより第三幕第三場とするのが慣例。

※3　23頁及び105頁以降と同様に、シャイロックとしてではなく、ユダヤ人として台詞が語られている。

看守、こいつには気をつけろ。

アントーニオ　聞いてくれ、善良なシャイロック。

ユダヤ人　証文どおりにするんだ。証文を否定しないでくれ。

誓いを立てたんだ、証文どおりにするとな。

あんたは理由もないのに私を犬と呼んだが、

私が犬なら、牙《きば》に気をつけるんだな。

公爵様は私に正義をお与えになるだろう――

まったく、困った看守だ、乞《こ》われるままに

のこのこ、こんなところまで連れてくるなんて。

アントーニオ　頼む、聞いてくれ。

ユダヤ人　証文どおりにするんだ。聞く耳は持たぬ。

証文どおりにするぞ。だから、もう、なにも言うな。

キリスト教徒のとりなしなんかで、首を振って、

頭をさげ、溜息《ためいき》をついて引き下がるような

腑《ふ》抜けの愚鈍な目をした阿呆にはならん。ついてくるな。

問答は要らない。要るのは証文だ。

ユダヤ人退場。

ソラーニオ　人間が近くにおいてやっている犬のくせに

なんて強情だ。

アントーニオ　放っておけ。
甲斐《かい》のない祈りであいつのあとを追いかけるのはよそう。
あれは私の命を狙っている。そのわけは明白だ。
私は時々あいつの借金の抵当に苦しむ
多くの人たちに泣きつかれ、救ってやった。
だから、私を憎んでいるんだ。

ソラーニオ　　　　　　　　　　きっと公爵様は、
こんな抵当をお許しにはなるまい。

アントーニオ　公爵様は法律を曲げるわけにはいかない。
外国人はこのヴェニスで我々と同じ便宜を持っている。
それを否定したら、国家の正義を
大いに損なうことになる。なにしろ、
この国の貿易と利潤は、あらゆる民族によって
成り立っているのだから。さあ、行こう。
悲しみや損失のせいで、すっかり痩《や》せ細ってしまった。
明日《あした》、血腥《ちなまぐさ》い金貸しに渡す
肉一ポンドも切り取れんかもしれんなあ。さあ、
看守さん、行こう。ああ、バサーニオさえ来てくれたらなあ。
あいつに借りを返すところを見てほしい。それで心残りはない。

全員退場。

ポーシャ、ネリッサ、ロレンゾー、ジェシカ、ポーシャの従者〔バルサザー〕登場。※

ロレンゾー 奥様、面と向かって申すのもなんですが、
奥様は神聖なる友情について気高く立派なお考えをお持ちです。
そのことは、こうしてご主人の留守を預かるご様子にはっきりと出ております。しかし、
奥様がこの名誉をどなたにお示しになっているか、
お救いになったのがどれほど立派な紳士か、
どれほどご主人が大切になさっているお方かをお知りになれば、
この度のご尽力、通り一遍のお義理立てにとどまらぬと
ご矜持《きょうじ》を高められることと存じます。

ポーシャ 善行を積んで後悔したことはないし、
今もそう。友達というものは、
話をしたり、一緒に時を過ごしたりして、
互いの心に愛という軛《くびき》を掛け合い、
外見も、立ち居振る舞いも、考え方も
どこか似てくるものです。

※ ロウの校訂以降、ここより第三幕第四場とするのが慣例。

ですから、わが夫の無二の親友という
このアントーニオさんも
夫に似ているに違いないと思うのです。もしそうなら、
私の良い人とそっくりのお方を
非情な地獄の苦しみからお救いするために
費やした費用など微々たるもの！
こんなこと言って、なんだか自慢しているみたいね、
もうよしましょう、この話は。話を変えれば、
ロレンゾー、夫が帰ってくるまで、
この屋敷の管理と切り盛りを
あなたの手に委《ゆだ》ねるわ。私は、
ここにいるネリッサだけを連れて、
私たちの夫が帰ってくるまで
お祈りと瞑想《めいそう》の生活をしようと
密《ひそ》かな誓いを神様に立てたのです。
ここから二マイルのところに僧院があり、
そこに二人でこもります。押しつけがましいお願いだけれど、
どうか断らないで。おまえを見込んでの、
よんどころない事情があっての

お願いなのだから。

ロレンゾー　奥様、喜んで、
なんでもお言いつけに従いましょう。

ポーシャ　家の者たちはすでに、このことは知っています。
バサーニオ様と私の代わりに
あなたとジェシカを主人と仰ぐでしょう。
では、さようなら、また会うときまで。

ロレンゾー　ご機嫌よろしゅう、お元気で！

ジェシカ　お心の満たされますようお祈り申し上げます。

ポーシャ　ありがとう、あなたがたにも
同様にお祈りしましょう。さようなら、ジェシカ。

〔ジェシカとロレンゾー〕退場。

さてと、バルサザー。
おまえは正直な忠義者、
いつまでもそうあっておくれ。この手紙を持って、
人間にあたう限りの全速力で
パドヴァ※に行き、私の親戚《しんせき》である
ベラーリオ博士の手に渡しておくれ。
そしていいかい、博士がくださる

※　初版本及び初期の版本では、ここだけマントヴァになっているが、のちの三箇所はパドヴァとなっているのでここもパドヴァに改めるのが校訂の慣例となっている。
　因みに、パドヴァは、ヴェニスの西にある都市。英語発音パデュア。『じゃじゃ馬馴《な》らし』の舞台である。また、マントヴァは『ロミオとジュリエット』のロミオの亡命先。

書付やら衣服やらを大急ぎで、あの渡し場へ、
ヴェニスとの行き来があるあの船着場へ
持ってきておくれ。しゃべっている暇はない、
お行きなさい、私は先に行って待っているから。
バルサザー　できるだけの速さでまいります。
〔バルサザー退場〕
ポーシャ　さあ、ネリッサ。まだあなたに
話していない仕事があるの。二人で亭主に会いに行くのよ、
向こうが思ってもみないやり方で！
ネリッサ　隠れてこっそり、ですか？
ポーシャ　こっそりどころか堂々とよ、ネリッサ、でも、
私たちにないものがあるかのように思わせる
恰好《かっこう》に隠れてね。賭《か》けてもいいわ、
私たち二人が若い男の服を着たら、
私のほうがハンサムで、
短剣を帯びる姿なんかも粋《いき》だわよ。
そして、声変わりしかかった少年みたいな
かすれた声で話し、ちょこまか歩かずに
男っぽく大またで歩くの。ほら吹きの小粋な若者のように
喧嘩《けんか》をした話をし、もっともらしい嘘をつくのよ。

深窓の令嬢たちに惚《ほ》れられて、
袖《そで》にしたら、みんな病気になって死んでしまったとか——
どうにも仕方がなかった、でも、後悔はしてるんだ、
それにしても殺すんじゃなかった、とかなんとかね。
こんなつまらない嘘を二十もついてやるわ、
男連中が、こいつは学校を出てから
一年以上は経っていると思い込むようにね。そういう
つっぱりの青臭いやり口なら一千でも思いつくから、
実行してやるわ。

ネリッサ　あら、私たち、男にされるんですの？

ポーシャ　え、されるって？　男に？　なにを？
変な意味にとる人が近くにいたら大変よ。
さ、行きましょう。計画の全貌《ぜんぼう》は
馬車のなかで話してあげる。庭園の門のところに
待たせてあるの。だから急いで、
今日一日で二十マイルは飛ばさなきゃならないんだから。

退場。

道化〔ランスロット〕とジェシカ登場。※

※ケイペルの校訂以降、ここより第三幕第五場とするのが慣例。

道化　ほんとにそうだよ、だっていいかい、父親の罪は子に報いるっていうだろ、だから、大丈夫、あんたはまずいよ。おいら、いつだってあんたにはずけずけ話してきたから、今も事を荒立てて言うんだ。だから、元気を出しなって、まちがいなくあんたは地獄堕《お》ちだから。少しでも助かりそうな望みが一つあるけど、それにしたって真っ当な望みじゃないね。

ジェシカ　望みって、なに？

道化　つまりさ、親父さんの子じゃないかもしれない、ユダヤ人の娘じゃないかもしれないっていう望みさ。

ジェシカ　それは確かに真っ当じゃないわね。それじゃあ、お母さんの罪が私に報いるってことになるじゃない？

道化　そうさ、だから、あんたは父親と母親の両方のせいで地獄堕ちなんだ。こうして、虎口を逃れて竜穴に入る、虎の親父を逃れても竜のお袋にやられちまう。まあ、八方ふさがりってやつだな。

ジェシカ　夫に救われるわ――あの人のおかげで、私、キリスト教徒になったのよ。

道化　なんてことをしてくれたんだ。それでなくても、おいらたちキリスト教徒は多すぎて、近所付き合いをして生きていけないほどなんだぜ。それでキリスト教徒を増やした日にゃあ、豚肉の値段があがっちまう。みんなが豚肉を食い始めたら、今に、金を積んでも、ベーコンが手に入らなくなるぞ。

ロレンゾー登場。

ジェシカ　おまえが言ったことを、主人に言いつけてやるわ。ほら、いらしたわ！

ロレンゾー　そのうち、ランスロット、おまえに焼餅《やきもち》を焼くぞ、俺の女房をこんな片隅に誘い込んだりして！

ジェシカ　いいえ、心配には及ばないわ、あなた、ランスロットと私は喧嘩しているの。私、ユダヤ人の娘だから、天国のお慈悲には与《あずか》れないなんて抜け抜けと言うのよ。それに、あなたは社会のためにならない人ですって。ユダヤ人をキリスト教徒に改宗させて、豚肉の値段をつりあげるから。

ロレンゾー　社会に対して弁明できないのは、俺よりもおまえだろ、ランスロット、黒人娘の腹をふくらませやがって。あの娘はおまえの子《こ》を孕《はら》んじまったぞ。

道化　黒ん坊が赤ん坊を！　こりゃ波瀾《はらん》万丈、おいらの腹づもりと違うね。腹をくろうにも、腹黒い女が孕んだ腹の子が種違いなら、腹ふくれる思いだ。

ロレンゾー　まったく阿呆《あほう》ってのは駄洒落《だじゃれ》が好きだな！　そのうち、賢者は口を閉ざし、おしゃべりをして褒《ほ》められるのは鸚鵡《おうむ》ばかりということになるぞ。おい、なかへ入って、食事の用意をさせろ。

道化　そりゃもうできています。みんな腹をすかせてまさあ！

ロレンゾー　こいつめ、揚げ足をとりやがって！　それじゃ、食事の準備をするように言いつけて来い。

道化　それもできています。ただ、「並べろ」とおっしゃってくだされば。

ロレンゾー　じゃ、並べてくれ。

道化　そりゃだめです、おいら、旦那《だんな》と肩を並べるような無礼な真似はできません。

ロレンゾー　まだからむのか！　ありったけの知恵を一気に見せようというんだな。平凡な男の言うことを平凡な意味でわかれよ。仲間のところへ行って、テーブルにテーブルクロスをかけ、料理を並べてくれ、そうしたら食事をしに行くから。

道化　テーブルを並べ、料理にクロスをかけておきます。旦那様がお食事にいらっしゃることについちゃあ、そりゃご気分次第、御意《ぎょい》次第。

道化退場。

ロレンゾー　たいした頭だ。あの言葉の使い方には恐れ入ったよ。
気のきいた言葉をしこたま記憶に収めているんだな。
もっと身分の高い人にも、こんな阿呆が大勢いる。
こんなふうに言葉を飾り、曖昧《あいまい》な言い方をして
意味のないことをぺちゃくちゃと——。
どうした、ジェシカ？
ねえ、ところで、どう思う、君は、
バサーニオさんの奥さんのことを？

ジェシカ　言いようのないくらいすてきな人。
あんな奥さんに恵まれたら、バサーニオさんも

品行方正に暮らさないとね。
天に昇るような喜びをこの世で見出したのだから、
この世で立派な暮らしをなさらないと、
天国に行けなくなるもの！
だって、二人の神様が天国で賭け事をなさったとして、
それぞれ人間の女性を賭けて、一方がポーシャ様だとしたら、
もう一方には、なにか添え物をしなくちゃね。
このお粗末な世界にはとてもあの方に匹敵する人は
いないもの。

ロレンゾー　奥さんとしてのポーシャさんと同じくらい
結構な亭主を、君は持ったんだぜ。

ジェシカ　あら、それについても私がどう思うかお訊《き》きなさいな。

ロレンゾー　いずれ訊こう。まずは食事だ。

ジェシカ　あなたに満幅《まんぷく》の信頼を置いているわ、満腹しなくとも。

ロレンゾー　その話は、食事の席で満腹するまで聞こう。
そうしたら君がなにを言っても、他のものと一緒に
呑《の》み込めるからね。

ジェシカ　じゃ、褒め言葉の椀飯振《おうばんぶ》る舞いをしてあげる。

全員退場。

公爵、お歴々、アントーニオ、バサーニオ、グラシアーノ（、サレーリオその他）登場。※

公爵　おい、アントーニオはいるか。
アントーニオ　はい、閣下。
公爵　気の毒だな、おまえの相手は
岩の心を持ち、情に悖《もと》る卑劣漢だ。
憐れみを知らず、慈悲のかけらも
持ち合わせておらぬ。
アントーニオ　閣下は、大変なお骨折りをして
苛酷なあの男をお諭しくださったと
伺っております。しかし、その頑固さは変わることなく、
どのような法的手段をもってしても
悪意の手から私を救えぬとなれば、
私としましては、その怒りに
忍耐を持って対峙《たいじ》し、荒れ狂う暴虐に
心静かに耐えるよりほかないと覚悟しております。
公爵　誰か行って、ユダヤ人を法廷へ呼び出せ。

※　二折本には、このト書きの前に「第四幕」と記されている。ロウの校訂以降、ここより第四幕第一場とするのが慣例。

サレーリオ　ドアのところに控えております。来ました、閣下。

シャイロック登場。

公爵　場所をあけて、前に立たせなさい。
シャイロック、世間の思惑では――私もそう考えているが――
おまえは、このような見せかけの悪意を
土壇場まで演じておいて、それから、
この異様なまでの残酷さよりも驚くべき
慈悲と悔恨とを見せるのであろうな。
今は、この哀れな商人の肉一ポンドという
罰則を厳しく求めておいて、
打って変わって、その抵当を放棄するのみならず、
人間らしい優しさと愛情に衝《つ》き動かされ、
元金の一部も免除して、
このところアントーニオに立て続けに起こった損害に
哀れの目を向けるのであろうな。
なにしろ、王者のような商人でも倒れるような大損害だ、
鉄のような胸、石のような硬い心でも
その悲惨さに同情を禁じ得まい。たとえ

頑《かたく》なトルコ人、心ある礼儀などに馴染《なじ》んだことのない
韃靼《だったん》人でさえ、哀れむはずだ。
品位ある答えを期待しておるぞ、ユダヤ人。

ユダヤ人　私の決意は閣下にすでに申し上げました。
ユダヤの聖なる安息日サバスにかけて、
証文に定められた抵当を受け取ると誓いましてございます。
それを否定なさるなら、自由都市ヴェニスの憲法と自由が
危険にさらされましょう！
三千ダカットを受け取るよりも、
わずかの死肉を受け取ろうとするのは
なぜかとお尋ねになるでしょうが、それにはお答え致しません。
ただそうしたい気分だとのみ申せば、答えになりましょうか。
自宅に鼠が出て困っているとき、
それを駆除するのに一万ダカットでも積んでみせると言ったら
どうでしょう？　え、おわかりになりましたか？
口をあけている豚の丸焼きが嫌でたまらないという人もいれば、
猫を見たら気が変になるという人もいます。
あるいはまた、バグパイプ※が鼻にかかったような音を出すと、
我慢していた小便を漏らしてしまう人もいる。愛情と憎悪は、

※　バグパイプの音と人間の気質を結びつけた説明は、10頁でソラーニオも行う。説明のつけがたい人間の感情という主題が作品に一貫してある。

時に感情全体を支配し、好き嫌いには
理屈などないのです。ですから、こうお答えできます。
なぜ口をあけた豚が耐えられないのか、
なぜ無害有益な猫が嫌なのか、
なぜ布でできたバグパイプのせいで、
ぶざまな姿を人目にさらし、
他人にも自分にも嫌な思いをさせるのか、
確固とした理由は一切ないように、
私にも理由はありませんし、理由を挙げようとも思いません。
ただ、積もり積もった恨みと、どうにもアントーニオが
嫌でたまらないというそれだけで、このように
自分が損をする訴訟を起こすのです。おわかりでしょうか。
バサーニオ　わかるものか、この情け知らずめ
おまえの気まぐれな残酷さに言い訳などない。
ユダヤ人　あなたの気に入るような弁明をする義務はない。
バサーニオ　好きでなけりゃ殺す――それでも人間か？
ユダヤ人　殺してやりたい、そう思うのが憎むということだろう？
バサーニオ　むかっときたからって、すぐ憎しみにならんはずだ！
ユダヤ人　なんだと！　二度蝮《まむし》に嚙《か》まれろと言うのか？

アントーニオ　忘れるな、相手はユダヤ人だ。
渚《なぎさ》に立って、大波に
もっと小さくなれと命じるようなものだ。
狼に、どうして子羊を食って、
牝羊《めひつじ》を泣かせたのかと尋ねるも同然。
山の松の木に向かって、梢《こずえ》を揺らすな、
天から突風が吹きすさんでも
音を立てるなと命じるほうがましだ。
どんなむずかしいことができたとて、こいつの心を
和らげるのは無理だ——一体、これほど固いものがあるか？
このユダヤ人の心ほど？　だから、お願いだ、もう
説得しようとしたり、手を尽くそうとしたりせず、
手っ取り早く済ませ、私には裁きを、
あの男には望みのものを与えてやってくれ。
バサーニオ　おまえの三千ダカットの代わりに、ここに六千ある！
ユダヤ人　その六千の一つ一つが六つに割れて、
割れた一つ一つが一ダカットになっても、
受け取りはしない。証文どおりにしてもらおう。
公爵　自ら慈悲を施さなければ、神の慈悲も望めんぞ。※

※　新約聖書「エペソ人への手紙」四・三二の「互《たがい》に仁慈《なさけ》と憐憫《あわれみ》とあれ、キリストに在りて神の汝らを赦し給いしごとく、汝らも互に赦せ」参照。
このあとポーシャも説くことになる神の慈悲（mercy）の偉大さについては、「詩篇」第一三六篇の「その憐憫《あわれみ》（mercy）はとこしへに絶ゆることなければなり」、「詩篇」一〇三・一一の「エホバの賜ふそのあわれみ（mercy）は大《おおい》にして」参照。

ユダヤ人　悪いことをしていないのに、どんな裁きを恐れることがありましょう？　みなさんは、奴隷を大勢お買いになっている。※
飼っている驢馬《ろば》や犬や騾馬《らば》と同様、奴隷を
卑しい仕事にこき使っている。それというのも、金を払って
自分のものにしたからです。こう言ってみたらどうでしょう？
奴隷を解放しろ、あんたの跡継ぎと結婚させろ、やつらだけが
どうして汗水たらして重い荷をかつぐ？　みなさんと同じ
ふっくらしたベッドに寝かし、同じようにおいしい料理に
舌鼓を打たせてやれ、と。みなさんは答えるでしょう、
「奴隷は私たちのものだ」と。だから私も同様に答えましょう。
この男から要求する肉一ポンドは、
高値で購入した、私のものだ、手に入れる、と。
それを否定なさるなら、法律など話にならない！
ヴェニスの法令にはなんの力もないことになる。
私は裁きを求めます。お答えは？　いただけますか？
公爵　わが権限により、この法廷を閉廷することもできるが、
この件を解決すべく召喚した
学識あるベラーリオ博士が本日ここに
お見えになってはいないだろうか。

※　十六世紀末、ヴェニスには、スラヴ人、タタール（韃靼）人、ムーア人、アフリカ人など、多くの奴隷がいた。

サレーリオ　閣下、外に、たった今パドヴァから駆けつけた使者が、博士の手紙を携えて控えております。
公爵　その手紙を持ってきてくれ！　使者を呼び出せ！
バサーニオ　がんばれ、アントーニオ、どうした、しっかりしろ！　君がぼくのために血を一滴でも流すくらいなら、あのユダヤ人にぼくの肉も血も骨もすべてくれてやる。
アントーニオ　私は群れのなかの、病気になった役立たずの羊、死ぬのにふさわしい。果物でも、一番弱いのから地面に落ちる。それが私だ。君は、バサーニオ、生き永《なが》らえて私の墓碑銘を書くのが務めだ。

ネリッサ〔が弁護士の書記の恰好《かっこう》をして〕登場。

公爵　パドヴァのベラーリオ博士からのお使いかね？
ネリッサ　さようです、閣下。ベラーリオからのご挨拶《あいさつ》です。〔ネリッサは手紙を渡す〕
バサーニオ　どうしてそんなにせっせとナイフを研いでいるんだ？
ユダヤ人　抵当を切り取るためさ、そこにいる破産者から。
グラシアーノ　靴の底なんかより、貴様の固い

心の底で研いだほうがよく研げるぞ。だが、どんな刃物だって、
いや、首斬り役人の斧《おの》だって、貴様の鋭い執念の切れ味には
遠く及ばん。どんな祈りもその胸を貫くことはできんのか？

ユダヤ人　だめさ、あんたの頭で思いつけるような祈りじゃ。

グラシアーノ　畜生、このいまいましい、罰当たりの犬め！
貴様のようなやつを生かしておくなら、法律が悪い！
貴様のせいで、俺の信仰もぐらつき、
ピタゴラス※の言うとおり、
動物の魂が人間の体に宿ることもあると信じたくなる。
貴様の犬のような魂は、かつては
狼に宿っていたに違いない。人間様を噛み殺して縛り首になり、
絞首台で体から離れたその残忍な魂が、
不信心な貴様のおふくろの胎《はら》んなかにいた貴様の体に
さまよいこんだのだ。貴様の狼のような、
残虐で血に飢えた貪婪《どんらん》な欲深さがその証拠だ。

ユダヤ人　毒づいて証文から判子が消えるならまだしも、
そんなに怒鳴りちらしても肺を痛めるだけだ。
お頭《つむ》の具合を治しておくんだな、お若いの、さもないと
すっかりぱあになっちまう。私は法に訴えているのだ。

※ピタゴラスの定理で知られる数学者・哲学者のピタゴラス（前五八二？〜五〇〇？）は、輪廻《りんね》説を唱えた。

公爵　このベラーリオ殿からの手紙には、若くて学識のある博士を当法廷に推薦するとある。その方はどちらにおられる？

ネリッサ　参上してよいか、閣下のお返事を承るべく、すぐそこに控えております。

公爵　ぜひいらして頂きたい。君たち三人か四人、行って、丁重に案内してくれ。〔役人たち退場〕その間《かん》、当法廷はベラーリオ殿の手紙を読み上げる。

〔読む〕「公爵閣下、ご書簡を拝受したとき、小生は重い病に臥《ふ》せっておりましたが、お使いがいらした折も折、ローマの若い博士が親しく訪ねてくれました。その名はバルサザー。この者に、ユダヤ人と商人アントーニオの係争の原因を知らしめ、ともに多くの本をひもとけば、わが見解を会得せし博士は、それを補うに、賞賛しつくせぬ博識をもってし、小生の求めに応じて代理として閣下のご要望にお応《こた》えするものです。どうか、その若輩なるがゆえに、尊敬を失わしむることのなきよう。かくも若くしてかくも老成した頭脳は他に類を見ません。この者を閣下に委ねますので、その腕を試せば、秀逸なること一目瞭然《りょうぜん》かと存じます」

ポーシャ、バルサザーとして登場。

公爵　以上が、学識あるベラーリオ殿のご書簡だ。そしてどうやら、その博士がいらしたようだ。

どうか、握手を――ベラーリオ殿のもとよりいらしたのですね？
ポーシャ　さようです、閣下。
公爵　ようこそいらした。どうぞお席に。
この法廷で只今問題となっている
係争についてはご存じですね？
ポーシャ　くわしく伺っております。
どれがその商人です？　そしてユダヤ人とは？
公爵　アントーニオにシャイロック、前へ出よ。
ポーシャ　おまえの名はシャイロックか？
ユダヤ人　シャイロックと申します。
ポーシャ　変わった訴えを起こしたものだな、
だが、規則には則っており、ヴェニスの法律では
そのほうの行動を非難できない。
〔アントーニオに〕そのほうは、この男に命を握られているのだな？
アントーニオ　ええ、この男の言い分では。
ポーシャ　証文は認めるか？
アントーニオ　はい。
ポーシャ　では、ユダヤ人が慈悲を施さねばならぬ。※

※（アントーニオが助かるには）「ユダヤ人が慈悲を施さねばならない」（ほかに手立てがない）という意味でポーシャが言ったのに対して、シャイロックは、「ねばならぬ」（must）を法的規制ととる。

シャイロック[※1]　ならぬとは、どうしてです？　そんな義務はない。
ポーシャ　慈悲とは、無理に搾《しぼ》り出すものではない。
天から恵みの雨が降《ふ》るように、
地に降《お》りてゆくものだ。[※2]　慈悲は与える者を祝福し、
受ける者を祝福するがゆえに、喜びは倍となる。
最高の人が持ちうる最高の美徳だ。
王冠よりも君主にふさわしい。
王が手にする笏《しゃく》は、一時《いっとき》の力を示すにすぎぬ。
威風堂々たる威厳を表わすが、
その内実は王への畏怖《いふ》や恐怖だ。
だが、慈悲はそうした笏の力を超え、
王の心のなかに鎮座して、
神ご自身の徳を表わす。
つまり、慈悲が正義を和らげるとき、
世俗の力が神の力のごとくなるのだ。[※3]　ゆえに、ユダヤ人よ、
おまえは正義を求めるが、考えてもみよ、
正義のみでは、誰ひとり
救われることはない。人は神の慈悲を求めて祈る。[※4]
その祈りこそ、人間誰しも慈悲を施すべきだと

※1　名前を伝えた「ユダヤ人」は、「シャイロック」に変わる。
※2　旧約聖書外典「ベン＝シラの知恵」三五・二六の「日照りのときの雨雲のごとく……いつくしみ（mercy）は尊し」、旧約聖書「申命記」三二・二の「わが教《おしえ》は雨の降《くだ》るがごとし」参照。
※3　『エドワード三世』第五幕第一場の「王は人の命を救い、安全を与えることで神様に最も近づく」参照。
※4　主の祈り「我らに負い目あるすべての者を我ら赦《ゆる》せば、我らの罪をも赦し給え」、及び「ベン＝シラの知恵」二八・二の「隣りびとの犯せし過失を許せ、されば祈るときなんじの罪赦さるべし」参照。

教えている。くどくどと話したのも、
おまえの正義を宥《なだ》めたいがためだ。
正義を貫こうというなら、厳格なヴェニスの法廷は、
そこにいる商人に不利な判決を下さなければならない。
シャイロック　この首にかけても自分の行動を貫きます！
法を求め、証文どおり借金のかたを求めます。
ポーシャ　この男は借金の返済ができないのか？
バサーニオ　できます。この場で私が代わりに支払います、
そう、二倍にして——それでも足りなければ、
十倍にして払う約束をしてもいい、
私の手、首、心臓を抵当に入れて——
それでも足りないというなら、
悪意を抱く者が誠実な者をつぶそうとしていることは明らか。
どうかお願いです、閣下の権限で今回だけ法を曲げてください。
大きな善をなすために、小さな悪をなし、
この残酷な悪魔の思いどおりにはしないでください。
ポーシャ　それはならぬ。ヴェニスのいかなる権限も
定まれる規則を変えることはできない。
そのようなことをすれば先例となり、

同じような不正が続出して、国を乱すことになる。できぬことだ。

シャイロック　名判官ダニエル※様のお裁きだ。やったぞ、ダニエル様だ！　ああ、若いのに賢い裁判官だ、ありがたや！

ポーシャ　どうか、その証文を見せてくれたまえ。

シャイロック　はい、実に偉い博士様、これでございます。

ポーシャ　シャイロック、この三倍の金が差し出されているのだぞ。

シャイロック　誓いです、誓いです、天に誓いを立てたのです。わが魂に嘘をつけとおっしゃるのですか。この国を差し出されてもだめです。

ポーシャ　確かに証文の期限は切れている。ゆえに法に従って、このユダヤ人は、その商人の心臓に最も近いところから切り取られた肉一ポンドの所有権を有することになる。慈悲をかけてやれ、三倍の金を受け取り、この証文を破らせてくれ。

シャイロック　その文面どおりに支払いが済みましたら、破ってください。どうやら立派な裁判官とお見受けした。法律をよくご存じで、その解釈はなかなかどうしてたいしたものだ。どうか

※　旧約聖書外典「スザンナ」において、バビロンの美しい人妻スザンナは、欲情した二人の長老が言い寄るのを拒んだため、逆に姦《かん》通《つう》罪で告訴・偽証され、死刑にされそうになる。そこに、若者ダニエルが現われ、証言の嘘を暴いてスザンナを救う。旧約聖書「ダニエル書」の著者ダニエルが名裁判官だとされるのは、この話に由来する。ダニエルは、紀元前六世紀、イスラエル民族のバビロン捕囚期の預言者であり、宮廷名をベルテシャッツァル（Belteshazzar）といった。これはポーシャの仮名バルサザー（Balthazar）と呼応する。

あなたが大黒柱となって立派に支えている法に則って、
判決を下してください。魂に誓って申し上げますが、
誰がなんと言おうと、
決心は変わりません。証文の権利を主張します。

アントーニオ　私からも心よりお願いします。
判決を。

ポーシャ　それでは、申し述べる。
おまえは、この男のナイフをその胸に受ける準備をしておけ。

シャイロック　ああ、立派な裁判官だ。すばらしい青年だ！

ポーシャ　というのも、法の趣旨と目的に照らして、
この証文に記載されている罰則は、
完璧《かんぺき》に有効であるからだ。

ユダヤ人　そのとおりだ。ああ、賢くて堂々たる裁判官だ！
みかけよりもずっと老熟しておられる！

ポーシャ　それゆえ、その胸をはだけろ。

ユダヤ人　そう、その胸だ、
そう証文に書いてある、そうですね、お偉い裁判官？
「心臓に一番近いところ」と、まさにそう書いてある。

ポーシャ　そうだ。肉を量る秤《はかり》はあるのか？

ユダヤ人　ここにございます。
ポーシャ　医者を呼んでおけ、シャイロック、費用はおまえ持ちで。
傷口をふさぐのだ。出血多量で死ぬといけない。
ユダヤ人　そんなことが証文に記されているでしょうか？
ポーシャ　そう書かれてはいないが、かまわんではないか。
それぐらいのことは、してやるのが人情だ。
ユダヤ人　書いてありませんな、証文には、ない。
ポーシャ　そこの商人、なにか言い残すことはないか？
アントーニオ　とりたててございません。覚悟はとうに
できております。バサーニオ、握手だ、さようなら。
君のためにこんなことになったと嘆かないでくれ。
これでも、運命の女神はいつになく
優しいくらいだ。本来なら
破産した男に惨めな生き恥をさらさせ、
くぼんだ目、皺《しわ》だらけの額《ひたい》で、
老いてなお貧乏の辛苦をなめさせるものだ。そんな無情な、
果てしない苦行から私を断ち切ってくれた。
立派な奥さんによろしく伝えてくれ。
アントーニオの最期を語ってやってくれ。

私が君をどれほど愛していたか、私の思い出話をしてくれ。
話し終わったら、ひとつ、裁判官となって裁いてもらってくれ。
バサーニオにはかつて心の友がいなかったかどうかを。
悔やむことはない、ただ、友を失うことだけを悔やめ、
友は君の負債を払うことを悔やみはしない。
なあに、ユダヤ人がしっかり私の心臓を切り取ってくれれば、
直ちに支払えるよ、心から。※

バサーニオ　アントーニオ、ぼくは結婚して妻がいる。
命にも代えがたい大切な人だ。
でも、命も、妻も、全世界だって、
君の命よりも大切には思えない。
すべて手放し、そうだ、みんな犠牲にしてでも
この悪魔から君を救いたい。

ポーシャ　奥さんは、あまりお喜びにはなられんでしょうな、
そばにいて、そんな申し出を聞いたりしたら。

グラシアーノ　俺にも、愛している女房がいるが、
天国に行ってくれたらと思うよ、それで
このユダヤの犬畜生の気を変えるよう神様に頼んでくれるなら。

ネリッサ　そういうことは奥さんに聞こえないように言わないと、

※『ロミオとジュリエット』のマキューシオの死に際のジョークに匹敵する。そうした死を達観した態度は、男らしい美徳とされていた。

ご家庭にひと悶着《もんちゃく》起こりましょう。

ユダヤ人　これだよ、キリスト教徒の亭主ってのは！
私には娘がいるが、いっそ盗人《ぬすっと》バラバ※の子孫でも
亭主にしてほしいね、こんなキリスト教徒なんかより。
時間の無駄です。どうか、判決を。

ポーシャ　当該の商人の肉一ポンドはそのほうのものである。
当法廷がそれを認め、法律がそれを与える。

ユダヤ人　実に公正な裁判官だ！

ポーシャ　そのほうは、この男の胸から肉を切り取らねばならぬ。
法律がそれを許し、当法廷がそれを認める。

ユダヤ人　実に学のある裁判官だ！　判決だ、さあ覚悟しろ！

ポーシャ　しばし待て。まだ続きがある。
この証文は血一滴たりともそのほうに与えていない。
文言ははっきりと「肉一ポンド」となっている。
ゆえに証文どおり、肉一ポンドを取るがよい。
だが、それを切る際、たとえ一滴でも
キリスト教徒の血を流せば、おまえの土地と財産は、
ヴェニスの法律により、ヴェニス国家に
没収される。

※　英語発音はバラバス。イエス・キリストとともに磔《はりつけ》になり、総督ピラトがどちらかを釈放すると民衆に伝えたとき、ユダヤ人たちはユダヤ人の盗賊の釈放を求めた。「マタイ伝」二七・一六〜二六、「ヨハネ伝」一八・四〇参照。

グラシアーノ　おお、立派な裁判官だ！
聞いたか、ユダヤ人。ああ、学のある裁判官だ！
シャイロック　それが法律ですか？
ポーシャ　　　　　　　　自分で条文を読むがよい。
おまえは正義を求めた。だから与えようというのだ、
望む以上の正義を。
グラシアーノ　偉い裁判官だ！　どうだ、ユダヤ人、偉い裁判官だ！
ユダヤ人　では、先ほどの申し出を受けます。三倍にして
返却頂き、このキリスト教徒を解放してください。
バサーニオ　　　　　　　　　　　　　　　これが金だ。
ポーシャ　待て！
このユダヤ人にはとことん正義をくれてやる。待て、早まるな！
先ほどの抵当以外、なにも与えてはならぬ。
グラシアーノ　おお、ユダヤ人よ、立派な裁判官だ、偉い裁判官だ！
ポーシャ　それゆえ、肉を切り取る準備をしろ。
血を流してはならんぞ。また、切り取る肉は正確に一ポンド。
それ以上でも以下でもだめだ。一ポンドきっかりよりも
多かったり少なかったりしたら、たとえそれが
たった一グラム軽くても重くても、

あるいは、その二十分の一であろうと
いや、ほんのわずか髪の毛一本ほどでも
秤《はかり》が傾こうものなら、
おまえの命はない。財産はすべて没収だ。
グラシアーノ　ダニエル様の再来だ！　ダニエル様だ、
ユダヤ人！　どうだ、悪魔め、ぐうの音も出まい。
ポーシャ　なにをぐずぐずしている？　抵当を取れ。
シャイロック　元金をお返しください。それで退出させてください。
バサーニオ　用意してある。これだ。
ポーシャ　こいつはそれをこの法廷で公然と拒絶したのだ。
ただ正義と証文だけを手にするがよい。
グラシアーノ　ダニエル様だよ、ダニエル様の再来だ！
ありがとうよ、ユダヤ人、いい言葉を教えてくれて。
シャイロック　元金さえも頂けないのですか？
ポーシャ　抵当以外、なにもやるわけにはゆかぬ。
それも命がけで取るがよい、ユダヤ人。
シャイロック　ちぇ、それなら、勝手にしろ。
こんな問答、やってられるか。　　〔退場しようとする〕
ポーシャ　待て、ユダヤ人。

当法廷はまだそのほうに用がある。
ヴェニスの法律にこういう規定がある。
外国人が直接にせよ間接にせよ
ヴェニス市民の命を狙ったと
証明できる場合、
命を狙われた者は、
狙った者の財産の半分を取得し、
もう半分は国庫に収めるものとする。
犯人の命は、公爵の慈悲のみに委《ゆだ》ねられ、
何人《なんぴと》もこれに発言することを許されない。
——おまえの立場はこれに相当する。
おまえが被告の命を
間接、そして直接にも
奪おうとしたことは
明白である。只今読み上げた
罪科を自らその身に招いたのだ。
ゆえに、はいつくばって、公爵の慈悲を乞《こ》え。

グラシアーノ　首をくくらせてくださいとでも乞うがいい。
だけど、財産が国に没収されちゃ、

縄一本買う金も残っちゃいねえな。
ってことは、国の金でおまえの首をくくるってことになるぞ。
公爵　我々の精神がおまえとは違うことを示すためにも
頼まれなくともおまえの命は許してやろう。
おまえの財産の半分はアントーニオのものであり、
もう半分は国庫に収めるものだが、
改悛《かいしゅん》の情があれば、罰金で済ませてもよい。
ポーシャ　国庫の分は、ということだ。アントーニオの分は違うぞ。
シャイロック　いや、命でもなんでも取ればいい、許すにゃ及ばん。
母屋を支えていた大黒柱を取られれば、
母屋を取られたも同然。生きるすべを取り上げられたら、
命を取られたも同然だ。
ポーシャ　どんな慈悲をかけてやるかな、アントーニオは？
グラシアーノ　縛り首の縄をプレゼント。ほかは何一つやらない。
アントーニオ　どうか、公爵閣下、そして法廷におられる皆様、
この男の財産の半分への罰金は
許してやってください。その代わり、
もう半分は私が管理し、
さきごろこの男の娘を盗んだ紳士に

この男の死後、与えることにします。
ただし、二つ条件があります。この恩恵を得るために、
この者は直ちにキリスト教徒に改宗すること。
もう一つは、今この法廷において、
全財産を、この男の息子となったロレンゾーと
娘に、死後譲り渡すという証書を書くことです。

公爵　そうさせよう。でなくば、
たった今申し述べた特赦を取り消すまでだ。

ポーシャ　よいか、ユダヤ人？　返事はどうだ？

シャイロック　ようございます。

ポーシャ　書記、財産譲渡の証書を作成しろ。

シャイロック　どうか、もう退出させてください。
気分が悪いので。証書はあとで送ってくだされば、
サインします。

公爵　帰ってよい。だが、約束は守れ。

グラシアーノ　洗礼式のゴッドファーザー※は二人だが、
俺が裁判官なら、もう十人増やして十二人の陪審員とし、
おまえを洗礼台でなく、絞首台に送ってやるんだがなあ。

〔シャイロック〕退場。

※「名付け親」、「代父」（プロテスタントでは「教保」）と呼ばれ、洗礼式に立ち会う。死刑囚を神の御許《もと》に送り込む十二人の陪審員をゴッドファーザーと呼ぶジョークは、シェイクスピアが生まれた頃からあった。

公爵　どうか私の家にお越しください。お食事にお招きしたい。
ポーシャ　申し訳ありませんが、失礼させて頂きます。
今晩にはパドヴァにまいらねばなりません。
今すぐ出発したほうがよいかと存じます。
公爵　お暇がなくて残念です。
アントーニオ、この紳士に礼を言いなさい。
大変な恩義があるはずだからな。

公爵とその従者たち退場。

バサーニオ　裁判官殿、私と私の友は、
あなたのお知恵によって本日、
恐ろしい罰則から逃れることができました。そのお礼に、
ユダヤ人に渡すはずだった三千ダカットを、
あなたのご親切への代償とさせてください。
アントーニオ　そのうえで、なお、ご恩を忘れは致しません。
ご誠意とご活躍に、いつまでも感謝し続けます。
ポーシャ　良き報酬は金にあらず、満ち足りた心にありと申します。
あなたを解放して差し上げることで、私の心は満たされ、
それゆえ私は充分な報酬を得たわけです。
わが心は、金目当てで動いたことはありません。

またお目にかかることがありましたら、お見知りおきを。
お元気で。では失礼。

バサーニオ　いえ、是が非でもお願い申し上げます。記念として
我々を思い出す縁《よすが》となる品を、報酬ではなく、
お受け取りください。どうか、二つのお願いを聞いてください。
ご辞退なさらないこと、失礼をお許しくださること。

ポーシャ　そうまでおっしゃるなら、お受けしましょう。
じゃあ、手袋を頂きましょうか、記念としてはめますよ。※
それから、あなたの愛の印に、この指輪を頂きましょう。
手をひっこめなさるな。それ以上は求めません。
愛の名にかけて、まさか嫌だとか言わないでくださいよ。

バサーニオ　この指輪ですか？　いや、これはつまらないもので、
こんなものを差し上げるのは、お恥ずかしい限りで。

ポーシャ　それ以外はなに一つ頂きません。
なんだか、それが妙に気に入ってしまったなあ！

バサーニオ　これには、宝石の値打ち以上の価値があるのです。
ヴェニスで最も高価な指輪を差し上げましょう。
国じゅうに広告を出して見つけ出します。
ただこれだけはご容赦ください！

※　アントーニオに手袋を求め、バサーニオに指輪を求めるというクラレンドン版（一八六九年）の解釈が賛同されることが多いが、旧ケンブリッジ版の注釈では「指輪が目に入るように手袋を求める」として、ポーシャはバサーニオに手袋を求めると解釈している。
それではアントーニオからの贈り物がなくなってしまうということで旧ケンブリッジ版説は却下されてきたが、手袋を求めるときにポーシャが言うyourは「あなたがたの」の意味かも知れず、アントーニオとバサーニオの両方から手袋を求めるということも考えられる。

ポーシャ　なるほど、なんでも差し上げるとは口ばかりですか。
最初は、求めるように言っておきながら、どうやら
人にもの乞いをするとどんな目に遭うか教えてくれたわけだ。

バサーニオ　いいえ、この指輪は妻からもらったもので、
これをはめるとき、私に誓わせたのです。
決して売りも譲りも失くしもせぬと。

ポーシャ　ものをやりたくないときに使う、よくある口実ですね。
あなたの奥さんが気でも違っていない限り、
私がこの指輪を頂くにふさわしい働きをしたと知れば、
それを私にやってしまったからといって、いつまでも
あなたにそっぽを向きはしないでしょうに。では、ご機嫌よう。

〔ポーシャとネリッサ〕退場。

アントーニオ　バサーニオ、その指輪をあの人にやってくれ。
あの人の働きと私との友情を考えてくれ。
君の奥さんとの約束とどちらが大切か。

バサーニオ　行け、グラシアーノ、走って、追いつくんだ。
あの人にこの指輪をやって、できたら
アントーニオの屋敷へご案内してくれ。行け、急ぐんだ。

グラシアーノ退場。

さあ、君とぼくもすぐそこへ行こう。
そして明日の朝早く、一緒に
ベルモントへ飛ぼう。さあ、アントーニオ。

全員退場。

〔ポーシャと〕ネリッサ登場。※1

ポーシャ　ユダヤ人の家を探し出し、この証書を渡して
サインさせるのよ。――今晩、出発しましょう。
主人たちが帰ってくる一日前には戻っていないと。
この証書を見たら、ロレンゾーは大喜びするわね。

グラシアーノ登場。

グラシアーノ　失礼。よかった、追いついた。
主人のバサーニオが、考え直してこの指輪を
あなた様にお贈りします。そしてできればお食事を
ご一緒したいと申しております。

ポーシャ　そんな――ことは無理です。※2
この指輪はありがたく頂戴《ちょうだい》しておくことにしましょう。
どうぞそのように伝えてください。それからどうか

※1　ロウはここで場面分割をしていないが、ケイペルの校訂以降、ここより第四幕第二場とするのが慣例。

※2　That cannot be. 外された夫の指輪を目にしたポーシャの驚き（「そんなはずがない」）と、夕食の招待を断る法学博士バルサザーの返答（「それはお受けしかねます」）の両方の意味がかけられた劇的な台詞と解釈する。

私の助手にシャイロックの家を教えてやってくれませんか。

グラシアーノ　そうしましょう。

ネリッサ　〔ポーシャに〕閣下、ちょっと一言。

〔ポーシャに傍白〕私も亭主の指輪を取り上げられるか

やってみます。永遠に手放さないと誓わせたんですが。

ポーシャ　きっとできるでしょう。どうせ、くどくどと、

男にやったとか言い訳するでしょうけれど、

とっつかまえて、とっちめてやりましょう。

――行け、急げ！　落ち合う場所は知っているな。

ネリッサ　さあ、その家へ案内して頂けますか。〔それぞれ退場〕

ロレンゾーとジェシカ登場。※1

ロレンゾー　月が明るく照っている。きっとこんな夜だった。

微風《そよかぜ》が木々に優しいキスをして、

音も立てない、こんな夜、

トロイアの壁を乗り越えて、トロイロス※2が溜息《ためいき》を

ギリシアに眠るクレシダに

そっと贈った、こんな夜。

※1　二折本には、このト書きの前に「第五幕」と記されている。ロウの校訂以降、ここより第五幕第一場とするのが慣例。

※2　英語発音トロイラス。シェイクスピアのローマ史劇『トロイラスとクレシダ』参照。

ジェシカ
おずおずと露をまたいでティスベー※1が　きっとこんな夜だった。
愛《いと》しい人が来る前に、獅子《しし》の影見て驚いて、
慌てふためき逃げたのは。
ロレンゾー
柳を手に持つディードー※2が　きっとこんな夜だった。
荒波寄せ来る磯辺に立って、愛する男がカルターゴーへ
戻って来るように祈ったは。
ジェシカ
老いたアイソーン※3を若返らそうと　きっとこんな夜だった。
メデイアが薬草、集めたは。
ロレンゾー
ジェシカが金持ちユダヤの目を盗み、　きっとこんな夜だった。
ろくでもない恋人とヴェニスを飛び出し、
ベルモントくんだりまで駆け落ちしたのは。
ジェシカ
若いロレンゾーが誓いを立てて　きっとこんな夜だった。
娘の心を盗んだが、立てた誓いは
嘘っぱち。

※1　娘ティスベーは、その恋人ピューラモスとともに、オウィディウスの『変身譚《たん》』中の悲恋の主人公。シェイクスピアの『夏の夜の夢』の劇中劇参照。従来「ピラマスとシスビー」と訳されたが、英語発音は「シズビー」。
※2　カルターゴーの女王。嵐で漂着したアイネイアースを恋するが、立ち去られ、自害する。柳は失恋の象徴。シェイクスピアの英語ではダイドーと発音。
※3　イアーソーンの父。王女メデイアの魔法によって若返った。

ロレンゾー　きっとこんな夜だった。
かわいいジェシカが、あばずれよろしく
愛する男をなじったが、男は黙って赦《ゆる》してやった。

ジェシカ　こんな夜ごっこなら負けないけど、誰か来たわ。
ほら、人の足音が。

使者〔ステファノー〕登場。

ロレンゾー　静かな夜更けに、そんなに急いで何者だ？

使者　味方です！

ロレンゾー　味方だって！　なんの味方だ？　名前を言ってくれ。

使者　ステファノーと申します。奥方様は
夜明け前にこのベルモントへお着きとの
お知らせをお持ちしました。道すがら
あちこちの礼拝堂を巡って
幸せな結婚生活を祈願しておいでです。

ロレンゾー　お供は？

使者　隠者がひとり、そして侍女だけです。
旦那《だんな》様はもうお戻りになりましたでしょうか？

ロレンゾー　まだだ。知らせもない。

ともかく、なかへ入ろう、ねえ、ジェシカ。
そしてこの家の奥方様を麗々しくお迎えする
準備をしようじゃないか。

道化〔ランスロット〕登場。

道化 おーい、おーい、やっほー、おーい、おーい！
ロレンゾー 誰だ？
道化 おーい、ロレンゾー様を見かけなかったかあ？ ロレンゾー様やーい！ おーい、おーい！
ロレンゾー どなるのをやめろ。ここだ！
道化 やーい！ どこだ、どこだあ？
ロレンゾー ここだ！
道化 ロレンゾー様に伝えてくれ、ご主人様から急ぎの使いが、いい知らせをいっぱい、角笛にためてやってくるって。ご主人様は夜明け前にご到着だ。〔退場〕
ロレンゾー 愛しい人、なかへ入ろう。ご到着をお待ちしよう。
いや、でも、いいか。なかへ入ることもないね？
お味方のステファノー君、家の者たちに
奥方様がもうすぐお戻りだと知らせて、
楽隊を外へ呼んでおくれ。〔ステファノー退場〕

なんてきれいだろう、月の光が土手の上でまどろんでいる！
ここに座って、音楽をぼくらの耳に
忍び込ませよう。柔らかな静かさ、それに夜の帳《とばり》が
甘い調べにふさわしい。
座りなよ、ジェシカ。ほら、ご覧、空がまるで
光輝く黄金の小皿でぎっしり覆われた床のようだ。
君の目に映るどんな小さな天体も、
動きながら、天使のように歌っている※1、
幼い目をした天使ケルビム※2たちと声を合わせて。
そうした調べは、神や天使たちには聞こえるが、
この腐敗する泥の体をまとう我々には
聞こえないのだ。

〔楽師たち登場〕

よう、月の女神ダイアナを賛美歌で起こしてくれ。※3
最高に甘い調べで君たちのご主人ポーシャ様の耳を貫いて
音楽で奥様のご帰宅を導いてくれ。

音楽演奏。

※1　古くはプラトンの『国家』に記され、ルネサンス期にイギリスで広く信じられていた「天体の音楽」のこと。天地が調和し至福がもたらされるとき、天体の動きが音楽となるが、俗世の人間には聞こえないという。
　第五幕の不安定な「調和」の背後に、人知の及ばぬ「調和」があるということか。

※2　かわいい裸の幼児に翼がついたような天使のこと。智天使とも。天使の第二階級。

※3　雲に隠れた月を呼び出してくれ、の意であろう。この直後のネリッサの台詞から、月が隠れていると推察される。

ジェシカ　私、甘い調べを聴いても、楽しくなったことないわ。

ロレンゾー　それは君があんまりまじめすぎるからだよ。
だって、いいかい、暴れまわる牛や、
まだ飼いならされていない子馬などは、
狂ったように跳ね回り、大声で鳴いたり嘶《いなな》くのが
血気盛んで元気な証拠だが、
不意にラッパの音を聞いたり、
なにか音楽が聞こえてくると、
一斉に立ち止まって、
それまで目を剝《む》いていたのに、おだやかな目つきとなる。
音楽のすばらしい力のせいだ。だからこそ、詩人※1は歌った。
名手オルペウス※2の調べは、木も石も水の流れも動かしたと。
どんな鈍感な人も、堅物《かたぶつ》も、乱暴者も
音楽を聴いているときは、心が改まる。
音楽を聴く耳を持たない人、
あるいはすてきな和音に心動かされない人は、
謀反《むほん》、陰謀、略奪に向いている。
そうした人の精神の動きは夜のように鈍っていて、
感情は黄泉《よみ》の国へ至る暗黒世界のように暗い。

※1　『変身譚』の著者オウィディウスのこと。

※2　ギリシア神話中の人物。オルフェウス、オルフェとも。英語発音オーフィアス。ホメーロス以前の最大の詩人で音楽家。竪琴《たてごと》の名手。亡き妻エウリュディケーを冥界《めいかい》から連れ戻そうと、その音楽の力で冥界の支配者ハーデースを魅了して志を貫徹せんとするも、もう少しで冥界を脱しようとするとき、約束に背いてうしろを振り返ったために永久に妻を失った。

そんな人は信用ならない。音楽を聴いてごらん。

ポーシャとネリッサ登場。

ポーシャ　うちの大広間に明かりがついているわ。
あんな小さな蠟燭《ろうそく》の光がなんて遠くまで届くことでしょう！
良い行いも、悪い世の中をあんなふうに照らすのね。※

ネリッサ　月が出ていましたときは、蠟燭は見えませんでしたが。

ポーシャ　偉大な栄光は、小さな光を翳《かす》めてしまうというわけね。
代理の者が王として明るく輝けるのは、
王が近くに戻るまで。王が戻れば
代理は消える。内陸の小川が
大海原に消えていくように。――音楽よ、聴いて！

ネリッサ　お屋敷の楽隊でございます。

ポーシャ　いいものは必ず周りとの調和がとれているものね。
日中に聞くより、ずっとすてきに聞こえるわ。

ネリッサ　静かなせいでございましょう。

ポーシャ　きちんと聞いていない耳には、烏も雲雀《ひばり》も、
同じに聞こえるでしょう。夜鳴鶯《ナイチンゲール》だって、
鵞鳥《がちょう》が一斉にがあがあ喚《わめ》いている昼間に鳴いたら、

※「マタイ伝」五・一六の「かくのごとく汝らの光を人の前にかがやかせ」参照。

歌い手としては鷦鷯《みそさざい》程度と
思われてしまうわ！　何事も
よい機会に恵まれて、うまい具合に味付けられて、
本当に完璧《かんぺき》なものとなって、大いに褒《ほ》められるようになる。
しっー！――月の女神がエンデュミオン※と一緒に眠っている。
起こしたらかわいそうよ！

ロレンゾー　その声は、
間違いない、ポーシャ様。

ポーシャ　私のひどい声でばれちゃったわね。目が見えない人でも
郭公《かっこう》なら悪い鳴き声でわかるように。

ロレンゾー　奥様、お帰りなさいまし。

ポーシャ　夫たちの安寧を祈ってきました。
祈りの甲斐《かい》あってご安泰でありますように。
もうお帰りかしら？

ロレンゾー　まだでございます、奥様。
ですが、ご帰還をお伝えする使者が
一足先に来ております。

ポーシャ　なかへお入り、ネリッサ。
私たちがこの家を留守にしたことは内緒にするようにと

※　ギリシア神話中の美男子の羊飼。月の女神セレーネー（ダイアナ）に愛され、永遠の眠りを与えられて永遠の若さを保った。

家の者たちに伝えなさい。
おまえも、ロレンゾー。ジェシカ、おまえもね。〔ラッパの音〕

ロレンゾー　旦那様がお着きです。ラッパが聞こえました。
私どもは告げ口などしませんから、ご心配なく。

ポーシャ　今晩は、なんだか、調子の悪い昼のようね。※
昼の光より少し青白いけれど、昼間みたい。
太陽が隠れた昼というところだわ。

バサーニオ、アントーニオ、グラシアーノ、その従者たち登場。

バサーニオ　昼ですよ、地球の反対側と同様に。
太陽がなくても、あなたがいれば明るい昼だ。

ポーシャ　明るいならいいけど、「あ、軽い」と呼ばれるのは嫌よ。
尻《しり》の軽い女は夫の心を重くする。
私が軽いせいでバサーニオが重くなるのは嫌。
でも神様が解決してくださるわね。お帰りなさい、あなた。

バサーニオ　ただいま。友達を歓迎してくれ。
これが例のアントーニオさんだ。
計り知れないほど、恩がある人だ。

ポーシャ　そりゃあ恩に着なくちゃ。だって、この方、

※　このとき、再び月が出ている設定であろう。直後のグラシアーノの台詞から、月が出ていると知れる。

あなたのせいで罪を着せられたんですものね。
アントーニオ　釈放されましたから、罪も恩も着なくてよいのです。
ポーシャ　ようこそ、わが家へお越しくださいました。
言葉ではなくおもてなしを致したいですから、
こんな口だけのご挨拶《あいさつ》はお控えしましょうね。
グラシアーノ　〔ネリッサに〕あの月にかけて、そりゃひどいぜ。
本当に裁判官の書記にやったんだってば。
あの野郎の逸物《いちもつ》を切り落として去勢してやりたいよ、
そんなに君がこだわると、俺も虚勢《きょせい》がはれないよ。※
ポーシャ　あらあら、もう喧嘩《けんか》！　どうしたの？
グラシアーノ　金の輪っか、つまらない指輪なんですがね、
こいつが俺にくれて、その文句っていうのが、
よくナイフなんかに刻まれている
「愛してね、捨てないで」っていう、よくあるあれでして。
ネリッサ　文句や値段のことを言っているんじゃないでしょ？
あなたにあげたとき、私に誓ってくれたじゃない、
死ぬその瞬間まで身につけているって！
お墓のなかまで持っていくって！
私のためじゃないとしても、あれほど強く誓ったからには、

※　ここまでずっとブランク・ヴァース（無韻詩）が続いていたのに、このグラシアーノの二行だけ、急にpart とheart で韻を踏む二行連句となって、劇的な転調がある。

大事に持っているのが当たり前じゃないの！
裁判官の書記にやったですって！　ふん、神様を裁判官に
してもいい、その書記の顔にはいつまでも鬚《ひげ》が生えないわ！

グラシアーノ　生えるさ、一人前の男になりゃあ。

ネリッサ　ええ、女が男になるんならね。

グラシアーノ　ねえ、誓ってほんとだよ、若い男にやったんだ。
ガキだよ、ちんちくりんの小僧だよ。
裁判官の書記ったって、背丈は君と変わりゃあしない。
ぺちゃくちゃとうるさい野郎で、指輪を報酬にくれってんだ。
嫌だってわけには、いかないだろ？

ポーシャ　あなたがいけないわ。はっきりと言いましょう。
奥さんの最初の贈り物をそう易々《やすやす》と人にやってしまうなんて！
誓いを刻んで指にはめているものということは、
体に誓いを刻んでいるのも同然でしょう？
私も夫に指輪をあげ、絶対に手放さないと
誓ってもらいました。ここにいらっしゃるけれど、
まさか手放したりとか、指から外したりとか、
世界じゅうの富をもらっても、なさったりしないと
断言できます。ねえ、本当よ、グラシアーノ、

あなた、奥さんに、そりゃあつれない、ひどいことをしたわ。
私、もしそんな目にあわされたら、きっと気が狂ってしまうわ。

バサーニオ　〔傍白〕この左手を切り落としておけばよかった。
指輪を守ろうとして手ごとなくしたと言えるように。

グラシアーノ　バサーニオさんだって、指輪を
裁判官にあげちまいましたよ。それほど偉い
裁判官だったんだ。そしたら、その書記の小僧が、
少しばかり書き物をしたってだけで、俺の指輪がほしいと言い、
二人そろって、指輪じゃなけりゃあ
絶対いやだと言ったんだ。

ポーシャ　あなた、どの指輪を差し上げたの？
まさか、ねえ、私が差し上げたのじゃありませんわよね。

バサーニオ　嘘で罪の上塗りをするなら、
そうじゃないと言うところだが、ごらんのとおり、この指に
指輪はない。なくなっている。

ポーシャ　あなたの不実な心も誠がなくなっているということね！
天かけて、あなたのベッドにはまいりません！
あの指輪を見せていただくまでは！

ネリッサ　私も。

私の指輪を見せていただくまでは！

バサーニオ　優しいポーシャ、
誰に指輪をやったのか、誰のために
指輪をやったのかを君が知っていたら、
そしてなんのために指輪をやったのかを考えてくれたら、
しかも、指輪でなければなにも受け取らないと言われて、
どれほどしぶしぶ指輪を渡したかを察してくれたら、
曲がったつむじを少しは直してくれると思う。

ポーシャ　あの指輪の力をあなたが知っていたら、
あるいはあの指輪を与えた女の価値の半分でもわかっていたら、
あるいは指輪を手放さないという名誉を大切になさっていたら、
指輪を手放したりなどなさらなかったでしょう。
あなたにほんの少しでも
渡したくないという熱意があれば、
いったいどこの誰が、そんな理不尽にも、
結婚の記念の品を求めるなんて慎みのないことを
するもんですか。ネリッサの言うとおりだわ、
きっと、どこかの女に指輪をやったに違いない！

バサーニオ　名誉にかけて違う。魂にかけて、それを取ったのは

女じゃない。法学博士だ。
三千ダカットを受け取らず、
指輪がほしいと言うから、だめだといったら、
不快な顔をして立ち去るじゃないか、
ぼくの親友のまさに命の恩人がだよ。
どうしようもないじゃないか、ポーシャ？
仕方なく、指輪を持たせてあとを追いかけさせた。
恥と義理に責め立てられながら、
名誉に泥を塗って恩知らずを決め込む
わけにはいかないだろう。赦してくれ、ポーシャ、
夜空に輝くあの神聖な灯火《ともしび》にかけて誓う、
その場にいたら、君だって頼んでいたと思うよ。
あの立派な博士に指輪をやるようにと。

ポーシャ　その博士をこの家に近づけないことね。
私の愛がこもった宝石を手に入れてしまった人だもの、
あなたが私のために絶対手放さないと誓った宝石をね。
私も、きっとあなたと同じぐらい気前がよくなってしまうわ、
その人になんでも差し上げてしまうかもしれない、
そう、この体も、夫のベッドも――。

その人と私、一つになるわ、間違いない。
一晩も家を空けないでね。百の目を持つアルゴス※のように
私を見張っていて。さもないと、放っておかれたら私、
まだ誰にも渡していないこの操にかけて、
その博士と一つ枕で寝てしまうわ。

ネリッサ　私は、その書記と。ですから、気をつけなさい、
私を放っておいたりすると、この身を誰に預けることになるか。

グラシアーノ　好きにしろ。そしたら書記をふんづかまえて、
筆下ろししてない若造の筆を折って役立たずにしてやる。

アントーニオ　この喧嘩の原因は、残念ながら、私にあります。

ポーシャ　どうぞ、お気を落とさずに。あなたは大歓迎ですのよ。

バサーニオ　ポーシャ、赦してくれ、仕方なかったんだ。
こうして多くの友達が聞いているところで
君に誓おう、君のその美しい瞳《ひとみ》にかけて、
ぼく自身が映っているその瞳に――

ポーシャ　まあ、これだもの！
私の両の瞳だから、ご自分も二重に見えるってわけね。
左右の瞳に一人ずつ――二重の自分に誓うなんて、
随分信頼できる誓いですこと。

※　ギリシア神話中の巨人。無数の目を全身に持ち、眠るときも二つの目しか閉じず、牝《め》牛《うし》に変えられた娘イーオーを監視した。ヘルメスに殺され、死後、孔雀《くじゃく》に変身したとも、ヘーラーがその目をとって孔雀の羽を飾ったとも言われる。

バサーニオ　いや、聞いてくれ。
今回のことは謝る。魂にかけて誓う、
君との誓いを二度と破ることはないよ。
アントーニオ　私はこの身をこの人の幸せのために貸しました。
あなたのご主人の指輪を持っていかれたあの人がいなければ、
この身は失われていたのです。もう一度この身をお貸しし、
この魂を抵当に入れて約束しましょう、あなたのご亭主は、
もう二度と故意に誓いを破りません、と。
ポーシャ　では、あなたが保証人ね。これを夫にあげて
今度はちゃんとなくさないようにするように言ってください。
アントーニオ　ほら、バサーニオ、この指輪をなくさないと誓え。
バサーニオ　なんと、これは、博士にやったあの指輪じゃないか！
ポーシャ　あの人からもらったの。ごめんなさいね、バサーニオ、
この指輪と引き換えに、博士は私と寝たの。
ネリッサ　ごめんなさいね、グラシアーノ、
あの博士の書記の、ちんちくりんの小僧が、
これと引き換えに、昨夜、私と寝ました。
グラシアーノ　なんてこった、これじゃ予算消化の道路工事だ。
手もつけてないきれいな道を掘り返しやがって！

え、まだやってもいないのに、寝取られ亭主にされたのか？

ポーシャ　そんな品のないことは言わないの。驚いたのね。

ここに手紙があります。お時間のあるときにお読みください。

パドヴァのベラーリオから来たものです。

それをお読みになれば、ポーシャが例の博士で、

ネリッサがその書記であったこともおわかりになります。

私たちがあなたたちと同じときに出発して、

今戻ったばかりであることは、ここにいるロレンゾーが証人です。

まだ家のなかにも入っていないのよ。アントーニオさん、

よくいらっしゃいました。あなたには思いもよらない知らせが

あります。この手紙をすぐ開封してください。

そこに、あなたの商船のうち三艘《そう》が、ひょっこり

荷物を満載して入港したと書かれています。

どんな不思議なめぐりあわせで、私がこの手紙を手に入れたかは

お教えしないことにしましょう。

アントーニオ　口がきけない！

バサーニオ　君が博士、なのにぼくにはわからなかった？

グラシアーノ　君が書記、俺を寝取られ亭主にしたはずの？

ネリッサ　ええ、でも書記は間男をしないわ、

大きくなって一人前の男にならない限り。
バサーニオ　すてきな博士、君はぼくのベッドで休んでください。
ぼくが留守をしたら、妻と寝てください。
アントーニオ　すてきな奥さん、あなたは私に命と生きる術《すべ》とを
くださった。確かにここに、私の船が
無事に錨《いかり》を下ろしたと書いてあります。
ポーシャ　どうしたの、ロレンゾー？
私の書記から、あなたにもちょっとしたお土産があるのよ。
ネリッサ　ええ、報酬を頂かずに、差し上げましょう。
どうぞ、あなたとジェシカに、
金持ちのユダヤ人から、特別な証文の贈り物。
あの人の死後、遺産はすべてお二人のものに。
ロレンゾー　あなたがたは、飢えた民に
天からマナ※を降らしてくださる。
ポーシャ　もうすぐ夜が明けるわ。
でも、みなさんはまだ、これまでの経緯を
すっかり納得していらっしゃらないわね。
なかへ入って、私たちを質問攻めになさいましな。
なんでも誠実にお答えしましょう。

※　旧約聖書「出エジプト記」第一六章で、モーセに導かれて砂漠を歩くイスラエル人たちに降り注いだパンの一種。天与の糧。転じて「思いがけず手に入るありがたいもの」の意。

グラシアーノ　そうしよう。第一の質問は、
わがネリッサに答えてもらおう、
あすの夜まで待つか、朝まで二時間しかないけど
今すぐお床入りといくか――
でも、朝が来ても、暗けりゃいいんだ、
そしたら博士の書記とずっと寝ていられる。
さあ、生きている限り、心配事はただ一つ、
ネリッサの大事な指輪を他の男にハメられないようにすることだ。

全員退場。

終

訳者あとがき

本書の主な特徴は、次の二つである。

1）上演を目的として、原文のリズムが持つおもしろさや心地よさを日本語で表現するように努めた。

2）原典——すなわち翻訳の底本とした初版本である第一・四折本《クオート》（一六〇〇年出版）——に忠実に訳した。原典どおり、本文中に幕場割り（第○幕第○場という区分け）をなくし、人物名の指示についても原典を尊重した。この結果、「ランスロット・ゴボー」が「道化」、「シャイロック」が「ユダヤ人」として示される部分がある。

テクストについて

『ヴェニスの商人』にテクスト上の問題はほとんどない。初版本は、シェイクスピア自身の生原稿《ファウル・ペーパーズ》よりも清書に近いものから、すぐれた植字工によって組まれたと考えられる。ただし、誤植がまったくないわけではないので、僅《わず》かの明らかな誤植については、一六一九年に出版された第二・四折本ないし一六二三年出版の第一・二折本《フオリオ》の読みなどを採用した。幕場割りについては、すでに『新訳 ロミオとジュリエット』の「訳者あとがき」に詳しく書いたので、そちらを参照されたい。

創作年代は、出版登録直前の一五九六〜七年と考えられている。

一五九八年七月二十二日に「ヴェニスの商人、別名ヴェニスのユダヤ人」の出版登録があり、一六〇〇年に出た初版本のタイトルは、表紙では The most excellent Historie of the Merchant of Venice となっており、続いて「上記商人に対して、その肉をきっかり一ポンド切り取ろうとするユダヤ人シャイロックの究極の残虐さ、そして三つの箱選びによるポーシャ獲得の物語つき。宮内大臣一座により頻繁に上演」という説明がついている（ちなみに History とは「物語」の意）。これが正式のタイトルなのかと思いきや、本のなかでは表紙と違って The comicall History of the Merchant of Venice となっており、二折本では単純に The Merchant of Venice となっている。よって、翻訳でも単純に「ヴェニスの商人」とした。

エリザベス女王暗殺を企てたとしてユダヤ系の侍医ロダリーゴ・ロペスの裁判が始まったのが一五九四年二月、処刑が六月であるので、その頃から書き始めたのではという憶測もあるが、第一幕で言及されるアンドルー号が、エセックス伯らの軍によって一五九六年にカディスで捕獲され、翌年に暴風雨のために大破した船のことなら、一五九六〜七年執筆と考えられる。

素材について

日本で最初に翻案されたシェイクスピア作品が『ヴェニスの商人』なら、日本で最初に上演されたシェイクスピア作品も『ヴェニスの商人』である。

最初の翻案とは、一八七七（明治十）年に『民間雑誌』九十八〜九十九号に掲載された「胸《きょう》肉《にく》の訴訟」である。最初の上演作品もやはり翻案で、一八八五（明治十八）年五月十六日、大阪・戎座《えびす》にて中村宗十郎一座により初演された『何桜彼桜銭世中《さくらどきぜにのよのなか》』（宇田川文海翻案・勝諺彦脚色）であり、船問屋紀伊國屋伝二郎の肉を切り取ろうとする高利貸枡屋五兵衛を制して伝次郎の命を救うべく、学者中川寛斎の娘玉栄が男装して名判官ぶりを見せるという筋立てになっている。

この間、チャールズ・ラムによる物語版が井上勤訳『西洋珍説人肉質入裁判』（今古堂）として一八八三（明治十六）年に出版されており、総じて本作への興味は「胸肉の訴訟」ないし「人肉質入裁判」といったところに向けられていたことが窺《うかが》える。

だが、この「人肉裁判」は、シェイクスピアが考えたことではなく、新妻が男装して裁判官となって名裁判をする筋も含めて、中世イタリアの物語集『イル・ペコローネ』（一三七八年作、一五五八年刊行、英訳一八九七年）第四日第一話から採ってきた話である。

類似する筋を追えば、以下のとおり。

ヴェニスの青年ジャンネットー（バサーニオに相当）がベルモンテの美女を勝ち得るために、すでに金の面でも愛情の面でも世話になっている養父アンサルドー（アントーニオに相当）に援助を求め、アンサルドーはユダヤ人の高利貸しから、約束の日まで返済できなければ体のどこからでも肉一ポンドを切り取ってよいという条件で金を借りる。このあと、青年の妻となったベルモンテの美女が男装して裁判官となって見事な裁きを見せ、礼金の代わりに指輪を求め、帰宅してから亭主を責め、最後に種明かしをするというところまで同じである。

かなりそっくりだが、グラシアーノに相当する人物が登場せず、アンサルドーが侍女と結婚してめでたしめでたしとなるところが違う。

一番違うのは、美女を勝ち取る試練が箱選びではなく、夜伽《よとぎ》になっている点であろう。挑戦者は眠ることなく美女を満足させなければならないのだが、寝酒に眠り薬が仕掛けられているためにみな眠りこけ、財産をすべて奪われる。ジャンネットーは二度失敗したのち、三度目の挑戦で侍女から寝酒のことを教えられ、飲んだ振りをして見事美女を勝ち得るのである。

では、箱選びの話はどこから来たかといえば、これは、中世イタリア物語集『ゲスタ・ロマノルム』（一五七七年英訳）第三十二話である。ローマ皇帝が王子の嫁を選ぶ際、金銀鉛の三つの箱を姫に選ばせるという筋で、金銀鉛の三つ箱についた銘もかなり類似している。一五九五年に英語改訂版が出ており、これをシェイクスピアが使ったらしい。

作品について

この作品は、観客の視点をどこまでシャイロックに近づけるかで、作品全体の色合いが変わってくる。

作品の全体的な構造から見れば、アントーニオの命を狙うシャイロックは確かに敵役であるのだが、たとえば次のシャイロックの有名な台詞《せりふ》を聞いたとき、私たちはその迫力に息を呑《の》まずにいられない。

「ユダヤ人には目がないのか？　手がないのか。内臓が、手足が、感覚が、愛情が、喜怒哀楽がないとでもいうのか？　キリスト教徒とどこが違う？……」

こうして、シャイロックの心情が深く描きこまれているために、観客は彼を加害者ではなく犠牲者として見たくなる。しかし、逆にシャイロックに同調しすぎると、今度は、最終幕のロマンティックな「夜づくし」が浅薄に見えるなど、作品全体の構造がアンバランスになってしまうという問題がでてくる。

この問題を考える際に、当然知っておかなければならない上演史上の三つの基礎知識を確認しておきたい。

一、まず、シェイクスピアの時代にどのような形で上演されていたのかはわからないが、王政復古期には、シャイロックは滑稽《こっけい》な道化役、ないしは復讐《ふくしゅう》の鬼としての悪役として演じられていたこと。

二、ところが、一八一四年一月二十六日、エドマンド・キーンが、シャイロックを一変して悲劇の主人公に変えたこと。(これがロマン主義批評によって大いに高く評価され、批評家ウィリアム・ハズリットは、劇中のキリスト教徒たちの偽善性を指摘し、シャイロックは悪者でありながら心根は正直だとした)

三、ヘンリー・アーヴィングの演技(初演一八七九年)によって、シャイロックは迫害されたユダヤ民族を代表する悲劇的英雄となったこと。語り草になっているのが、ジェシカが駆け落ちしたあと、シャイロックが独り家に帰ってきて、戸口でノックを繰り返し、やがて沈黙して立ち尽くすなかを幕が下りるという、挿入された哀愁の一場である。

そもそも、御伽噺《おとぎばなし》のような枠組みのなかに民族差別というリアルな問題がからみとられているのだから、一筋縄ではいかない。

そして恐らく一筋縄でいかないところがシェイクスピアのシェイクスピアたるゆえんであろう。「殺人未遂者」が孤高の人に見え、「善人」が唾棄《だき》すべき人に見えるという一見矛盾した新たな価値体系を体験するものの、単純に価値体系を転換すれば済むという話でもなく、やはり「悪人」は罰せられなければならず、民族差別を続けようとする「善人」には、どういうわけか——アントーニオの船が不思議と戻ってくるように——繁栄がもたらされるというこの世のあり方が不変であることも認めなければならない。

かつて旧歴史主義者のE・E・ストールは、エリザベス朝時代は、ユダヤ人に対する偏見が根強かったのだから、へんにシャイロックに過剰解釈を加えないで、単純に敵役としてみなせば済むことだと一九二七年の論文で喝破した。その三十二年後、福田恆存氏も同様に、物語の枠組みを充分に意識すべきだとして、シャイロックへの過剰解釈は不要だとした。しかし、民族問題が繊細かつ重要な問題となってきている今日、私たちの目は、もはや平板な見方でシャイロックを捉えることはできなくなってしまっている。

特に、二〇〇一年のいわゆる九・一一のテロ事件以降、四百年前にシェイクスピアが仕掛けたドラマは、新たな意味を持ち始めている。

虐げられた民族の正義のためであろうと殺人は許されない。シャイロックも民族の神に誓って正義を行おうとしたが、結局は単なる殺人未遂者として処理されることになる。そこに法のトリックがあった、大岡裁きだ、めでたしめでたしだという単純な話では終わらない。

たとえば、ヴェニスの「善良なキリスト教徒たち」の態度には、アメリカが正義を振りかざして強者の論理だけで異文化問題を解決しようとする一方的な姿勢が重なって見えてこないだろうか。確かにシャイロックの殺人未遂は罰せられなければならない。だが、彼を罰することだけで問題は解決するのだろうか。そもそもシャイロックに改宗まで強要する権利が「善良なキリスト教徒たち」にあるのだろうか。シャイロックは悪党だが、単純に悪党として切り捨てることはできない。この「喜劇」からは、あまりにも多くの問いが発せられている。だからこそ、この作品には、今日的な意義があるのだ。

私たちの文化の外側にいる他者への無理解がそもそもの不幸の元凶となっているという構図は、シェイクスピアの時代から現代に至るまで変わっていないのである。ヴェニスのキリスト教徒たちの「強者の論理」の暴力性は、英米人のイスラム人に対する態度のみならず、日本人の対アジアの態度にも見られはしないか、日本もまた襟を正さなければならないであろう。

そうした政治的な背景が敏感に意識されるようになった現代では、シャイロックの抱える切実な問題を先鋭化しようとする傾向がある。

ただし、一九九八年五〜九月に、ロンドンのグローブ座で三時間以上かけて上演された公演は、どうやら観光客相手の「面白い喜劇」を見せることに主眼があったのか、その段ではなかった。演出は、ローレンス・オリヴィエとジョーン・プラウライトの息子リチャード・オリヴィエが手がけたのだが、惨憺《さんたん》たるものであった。ノーバート・ケントラップの恰幅《かっぷく》の良いシャイロックは観客の心を捉えることはなく、マーク・ライランスのバサーニオやキャスリン・ポグソンのポーシャも空回り気味だった。ただ、野田秀樹の『赤鬼』でトンビを演じたマルチェロ・マーニが滑稽に道化を演じたのが鮮烈な印象を残した。

最近の上演で特にすばらしかったのは、一九九九年にロンドンのイブニング・スタンダード紙最優秀演出家賞を受賞したトレヴァー・ナン演出のロイヤル・ナショナル・シアター公演である（一九九九年六月十七日コテスロー劇場初演、一九九九年十一月二十九日〜二〇〇〇年三月二十三日オリヴィエ劇場再演）。シャイロック（ヘンリー・グッドマン）に民族的なリアリティを与え、ジェシカ（ガブリエル・ジュルダン）とともにヘブライ語の歌を歌わせるなど、ユダヤ民族の特殊性を強調しつつ、アントーニオ（デイヴィッド・バンバー）とバサーニオ（アレグザンダー・ハンソン）の男の「友情」を描き、それに男装のポーシャ（ダーブラ・クロティ）の毅然《きぜん》とした態度を対立させることによって公演を充実させた。民族性のみならず、ジェンダーの問題など、芝居の内包するさまざまな現代的な要素に新たな命が吹き込まれた公演であった。

二〇〇二年六月に来日公演を果たしたラブデイ・イングラム演出ロイヤル・シェイクスピア劇団公演（東京グローブ座）も、同じ路線を辿《たど》った。シャイロック（イアン・バーソロミュー）は裁判の場でヘブライ語を唱え、民族の復讐であることを強調した。

一八三九年、ユダヤ人であった詩人ハイネが、ロンドンでこの芝居を観た際、うしろの席の女性がシャイロックに同情してすすり泣いていたと記したのは有名な話だが、現代に生きる私たちはもはや単純にシャイロックに同情することはできない。シャイロックの暴力にどんな「正義」があろうと、それは戦争やテロと変わりはしない。だが、同時に、強者の論理もまた「正義ゆえの暴力」にほかならないのではないだろうか。

☆

この本が出る頃、アル・パチーノ主演の映画『ヴェニスの商人』が話題になっているはずだ。

ジェレミー・アイアンズのアントーニオ、ジョゼフ・ファインズのバサーニオ、リン・コリンズのポーシャという豪華キャスト、ヴェニスでのロケ、一ヶ月におよぶリハーサルによって、十六世紀のヴェニスを美しく再現した魅惑の映画だ。主眼はやはりパチーノにある。そして、その敵対者としてのジェレミー・アイアンズとのからみが見所だ。

シャイロックの恨みとアントーニオの憂鬱《ゆううつ》とが短調で拮抗《きっこう》するなか、恋物語が長調で旋律を描く――ネリッサの男装は見事だし、箱選びでのモロッコ大公は絶品であり、指輪事件のおかしさも映画のクローズアップで生きてくる――けれども、焦点はやはり恋物語の外側で敵対する二人の老人にある。

映画を観、このテクストを読み返すことで、作品世界の持つ豊かさを味わい直して頂ければ、これに勝る幸せはない。

二〇〇五年十月

河合祥一郎

新訳《しんやく》 ヴェニスの商人《しょうにん》

シェイクスピア　河合祥一郎《かわいしょういちろう》＝訳

平成17年 10月25日　初版発行
令和７年 10月10日　14版発行

発行者●山下直久

発行●株式会社KADOKAWA
〒102-8177　東京都千代田区富士見2-13-3
電話　0570-002-301（ナビダイヤル）

角川文庫 13979

印刷所●株式会社KADOKAWA
製本所●株式会社KADOKAWA

表紙画●和田三造

●お問い合わせ
https://www.kadokawa.co.jp/（「お問い合わせ」へお進みください）
※内容によっては、お答えできない場合があります。
※サポートは日本国内のみとさせていただきます。
※Japanese text only

ISBN978-4-04-210616-6　C0197

◆◆◇

角川文庫発刊に際して

角川源義

第二次世界大戦の敗北は、軍事力の敗北であった以上に、私たちの若い文化力の敗退であった。私たちの文化が戦争に対して如何に無力であり、単なるあだ花に過ぎなかったかを、私たちは身を以て体験し痛感した。西洋近代文化の摂取にとって、明治以後八十年の歳月は決して短かすぎたとは言えない。にもかかわらず、近代文化の伝統を確立し、自由な批判と柔軟な良識に富む文化層として自らを形成することに私たちは失敗して来た。そしてこれは、各層への文化の普及滲透を任務とする出版人の責任でもあった。

一九四五年以来、私たちは再び振出しに戻り、第一歩から踏み出すことを余儀なくされた。これは大きな不幸ではあるが、反面、これまでの混沌・未熟・歪曲の中にあった我が国の文化に秩序と確たる基礎を齎らすためには絶好の機会でもある。角川書店は、このような祖国の文化的危機にあたり、微力をも顧みず再建の礎石たるべき抱負と決意とをもって出発したが、ここに創立以来の念願を果すべく角川文庫を発刊する。これまで刊行されたあらゆる全集叢書文庫類の長所と短所とを検討し、古今東西の不朽の典籍を、良心的編集のもとに、廉価に、そして書架にふさわしい美本として、多くのひとびとに提供しようとする。しかし私たちは徒らに百科全書的な知識のジレッタントを作ることを目的とせず、あくまで祖国の文化に秩序と再建への道を示し、この文庫を角川書店の栄ある事業として、今後永久に継続発展せしめ、学芸と教養との殿堂として大成せんことを期したい。多くの読書子の愛情ある忠言と支持とによって、この希望と抱負とを完遂せしめられんことを願う。

一九四九年五月三日

角川文庫海外作品

新訳 ハムレット
シェイクスピア
河合祥一郎＝訳
デンマークの王子ハムレットは、突然父王を亡くした上、その悲しみの消えぬ間に、母・ガードルードが、新王となった叔父・クローディアスと再婚し、苦悩するが……画期的新訳。

新訳 ロミオとジュリエット
シェイクスピア
河合祥一郎＝訳
モンタギュー家の一人息子ロミオはある夜仇敵キャピュレット家の仮面舞踏会に忍び込み、一人の娘と劇的な恋に落ちるのだが……世界恋愛悲劇のスタンダードを原文のリズムにこだわり蘇らせた、新訳版。

新訳 リチャード三世
シェイクスピア
河合祥一郎＝訳
醜悪な容姿と不自由な身体をもつリチャード。兄王の病死をきっかけに王位を奪い、すべての人間を嘲笑し返そうと屈折した野心を燃やす男の壮絶な人生を描く、シェイクスピア初期の傑作。

新訳 マクベス
シェイクスピア
河合祥一郎＝訳
武勇と忠義で王の信頼厚い、将軍マクベス。しかし荒野で出合った三人の魔女の予言は、マクベスの心の底に眠っていた野心を呼び覚ます。妻にもそそのかされたマクベスはついに王を暗殺するが……。

新訳 十二夜
シェイクスピア
河合祥一郎＝訳
オーシーノ公爵は伯爵家の女主人オリヴィアに思いを寄せるが、彼女は振り向いてくれない。それどころか、女性であることを隠し男装で公爵に仕えるヴァイオラになんと一目惚れしてしまい……。

角川文庫海外作品

新訳 夏の夜の夢
シェイクスピア
河合祥一郎＝訳

貴族の娘・ハーミアと恋人ライサンダー。そしてハーミアのことが好きなディミートリアスと彼に恋するヘレナ。妖精に惚れ薬を誤用された4人の若者の運命は？幻想的な月夜の晩に妖精と人間が織りなす傑作喜劇。

新訳 から騒ぎ
シェイクスピア
河合祥一郎＝訳

ドン・ペドロは策を練り友人クローディオとヒアローを婚約させた。続けて友人ベネディックとビアトリスもくっつけようとするが、思わぬ横やりが入る。思いこみの連続から繰り広げられる恋愛喜劇。新訳で登場。

新訳 まちがいの喜劇
シェイクスピア
河合祥一郎＝訳

アンティフォラスは生き別れた双子の弟を探しにエフェソスにやってきた。すると町の人々は、兄をもとからいる弟とすっかり勘違い。誤解が誤解を呼び、町は大混乱。そんなときとんでもない奇跡が起きる……。

不思議の国のアリス
ルイス・キャロル
河合祥一郎＝訳

ある昼下がり、アリスが土手で遊んでいると、チョッキを着た兎が時計を取り出しながら、生け垣の下の穴にぴょんと飛び込んで……個性豊かな登場人物たちとユーモア溢れる会話で展開される、児童文学の傑作。

鏡の国のアリス
ルイス・キャロル
河合祥一郎＝訳

ある日、アリスが部屋の鏡を通り抜けると、そこはおしゃべりする花々やたまごのハンプティ・ダンプティたちが集う不思議な国。そこでアリスは女王を目指すのだが……永遠の名作童話決定版！